Ik wou dat ik een vlinder was

Omslagfoto: Hehuat Art Productions

ISBN 90 6135 353 x

M.H. den Ouden-Hille

Ik wou dat ik een vlinder was

Mijn jeugd op Sumatra
Van Fort de Kock tot Bangkinang

UITGEVERIJ T. WEVER B.V. - FRANEKER

Dringend telt men dagen, uren.
Moet het nu nog langer duren?
Zal er nóóit meer vrijheid zijn?

Als wij Christus toebehoren
Zijn wij nú reeds uitverkoren
om in muren vrij te zijn.

E.C. Hunger-Kapteyn
Interneringskamp Bangkinang, 19 juli 1945

Verantwoording

Waarom moest er zo nodig nóg een boek worden toegevoegd aan de reeks oorlogsboeken, die over Indië geschreven zijn?
Het antwoord is simpel: omdat er toch nog een lacune bestaat op dit gebied. Speciaal over de vrouwenkampen op Sumatra is nog niet zoveel bekend. Ook niet over het leven buiten de kampen, hoewel dit stuk geschiedenis toch zeer bepalend is geweest voor de levensloop van hen, die het beleefden.
Wellicht vraagt men zich verwonderd af: maar waarom pas nú, een mensenleven verder, deze weergave ervan? Is die nog wel betrouwbaar na zoveel tijd? Herinneringen verbleken immers. Bovendien, waar is dat oprakelen goed voor? Kan men niet beter maar eindelijk vergeten?
Misschien is nú de tijd er pas rijp voor. En wat die betrouwbaarheid betreft, er zijn fragmenten uit die tijd, die onuitwisbaar zijn gebleken en voor menigeen verser in het geheugen liggen dan bijvoorbeeld de zestiger jaren. Bovendien heb ik de meeste van mijn herinneringen dadelijk na de bevrijding uitgewerkt, hoewel niet in het Nederlands maar in het Afrikaans. Als kind en jong meisje stuurde ik voor de oorlog mijn 'Briewe uit Oos-Indië' regelmatig aan de kinderrubriek van een Zuidafrikaans blad. Daar kwam door de oorlog een eind aan, maar na de bevrijding heb ik dit contact zo spoedig mogelijk weer opgevat.
Zo verschenen mijn kampherinneringen in '47-'48 als vervolgverhaal, en enige tijd later, wat omgewerkt, nog eens bij een ander Afrikaans tijdschrift.
Ik had echter nooit eerder de moeite genomen een en ander in het Nederlands om te zetten. Totdat een paar jaar geleden op één van onze kampreünies tot mij doordrong, dat hieraan behoefte bestond. Toen mij daarbij het geluk te beurt viel om over de nauwkeurige verslagen van ons kamphoofdbestuur te mogen beschikken, kon ik er niet meer onderuit.

Hoewel ik mij er zeer goed van bewust ben, dat verschillenden onder mijn ex-kampgenoten er ook heel goed toe in staat zouden zijn, neem ik deze taak op me, schrijvende vanuit mijn eigen gezichtshoek, over mijn persoonlijke belevenissen, gecombineerd met stukken uit het bestuursverslag, die ik letterlijk mocht overnemen, en die zonder nadere aankondiging tussen aanhalingstekens zijn geplaatst.
Ik wil mijn oprechte dank uitspreken aan de dames, die aan het verslag werkten, direct na de kamp-opheffing eind oktober 1945: mevrouw Hanedoes, nog een paar anderen en mevrouw Dé Holle, die helaas in 1973 is heengegaan. Ook ben ik dank verschuldigd aan tante Ans Huijsmans, die mij het manuscript ter hand stelde.
Ofschoon auteurs zich gewoonlijk haasten mede te delen, dat namen of situaties in hun verhaal gefingeerd zijn, stel ik het juist op prijs dat U weet dat hier de meeste namen niet verzonnen zijn. De feiten lagen historisch gezien zoals ze hier beschreven zijn, en zij die genoemd worden maakten daar reëel deel van uit. Alleen als er iets onaangenaams over een bepaald persoon te vertellen is noem ik bewust geen namen (behalve bij de Japanners en de tolk, die bij hun ware naam genoemd worden), want degenen die er bij waren zullen zich die nog wel herinneren. En anderen hoeven die nu niet meer te weten.
Ik begin mijn verhaal vanuit Fort de Kock. Zo zouden anderen kunnen beginnen vanuit Sawah Loentoh, Soengei Penoeh, Rengat, Pakan Baroe, Padang, Bagan Siapiapi of Sibolga, want vanuit al deze plaatsen kwamen wij tenslotte bij elkaar in het Vrouwenkamp Padang, dat later naar Bangkinang verhuisde.

1

Jaren geleden woonden we op Sumatra in een heerlijk vakantie-oord, gelegen in de gezonde bergstreken van de Padangse Bovenlanden: Fort de Kock. Een kleine, maar mooie stad, druk bezocht door toeristen vanwege de zeer gunstige ligging om prachtige tochten te maken. Een en al natuurschoon rondom. Daar had je de toverachtige schoonheid van de grote meren Singkarak en Manindjau, de geheimzinnig-mooie Harau-kloof met zijn hoge rotswanden, zijn duidelijke echo en de waterval vlak langs de weg. Nòg een waterval was die bij de Anai-kloof, aan de straatweg naar Padang, de hoofdstad van Sumatra's Westkust. Ook had je in de omstreken van Fort de Kock vele vochtige donkere druipsteengrotten, zoals de Kamang- en Baso-grotten, waar je zonder gids niet gemakkelijk uit kwam. De bergen en panorama's waren zielsverheffend voor wie open stond voor de stem van de natuur. Er ging een woordeloze invloed van uit.

Je kon er je eigen nietigheid toetsen aan de ontzagwekkende grootsheid van de natuur, waarvan jijzelf slechts een uiterst fijn, onopvallend onderdeeltje uitmaakte. Toch voelde je je er bij horen. Je was één met de hele schepping van God en leerde ware ootmoed kennen.

Je kon ook te voet vele prachtige uitzichten bereiken. Onze schoolreisjes voerden ons dwars door akkers, alang-alang (een heel hoge grassoort) en padi- en suikerrietvelden naar verborgen watervallen tussen ravijnen en bergkloven. Als je dan eindelijk bij de waterval uitkwam, nadat je zijn bruisend geweld al heel lang gehoord had en zijn roep gevolgd was, dan was dat een boeiende belevenis. Alle varens en andere planten in de nabijheid waren fris bespat. De bloemen, veel vlijtige liesjes (waterbalsemienen) in allerlei kleuren, werden als juwelen met de waterdroppels in hun hart. Ook zelf onderging je een ragfijne douche als je daar stond aan de voet van zo'n zilvermassa, die maar eindeloos omlaag

stroomde met een zó krachtige zuiverheid, dat je die met heel je ziel zou willen indrinken. Je diepste innerlijk voelde zich hier gezuiverd en je ging er met nieuwe moed en levensverwachting vandaan.
In Fort de Kock zelf was er nog de beroemde cañon, het Karbouwengat, de Ngarai Sianok. Vanaf sommige uitzichtpunten zag je bijzonder mooie panorama's van dit Karbouwengat: kronkelige dalen, hoogten en laagten, ruw begroeid met bomen en planten, in de diepten de rijstvelden met een enkel huisje er bij, en het smalle voetpad, dat tegen de steiltes meekronkelde: het pad naar Kota Gadang (het grote dorp) dat aan de andere kant van het Karbouwengat lag. Het was bekend om zijn kunstnijverheid, speciaal op handwerk-gebied. De vrouwen en meisjes maakten de beeldigste handwerken met een onuitputtelijk geduld, indertijd slechts bij kaarslicht, toen er nog geen electriciteit was. Zij kwamen dagelijks langs het moeilijke paadje, in weer en wind, met hun koopwaar op weg naar de beroemde pasar van Fort de Kock. 's Avonds gingen ze in het donker terug met fakkels in de hand, langs datzelfde pad, met soms links en rechts kloven, bossen en afgronden... en hoe glad kon het voetpad in de regentijd zijn.
Vanaf één bepaalde hoogte in Fort de Kock keek je neer op de hele stad. Dat was als je de hoge klokketoren beklom, de Djam Gadang, die midden op het plein voor de markt stond.
De inlandse huizen waren zeer decoratief. De Minangkabauers stonden reeds lang bekend om hun kunstzinnigheid. Hun huizen hadden sierlijk gepiekte daken. Muren en ramen waren veelal met apart houtsnijwerk versierd. Zelfs hun karbouwenkarren hadden piekdaken en waren kunstig bewerkt.

In de hoofdstraat van Fort de Kock stond een groot huis met een flinke tuin er omheen, waar geluk en zonneschijn heersten. De zon scheen over het huis en de tuin, maar binnen was het lekker koel, wat in de tropen van groot belang was. Maar ook in de tuin kon men de schaduw opzoeken als de zon te heet werd. Er stond een koepeltje, waar we wel thee dronken of ons huiswerk maakten.
Planten en bloemen bloeiden uitbundig. Ook de huisdieren

hielpen mee om een onuitwisbaar stempel van harmonie op deze omgeving te drukken.
In dit huis woonde ons gezin met vijf kinderen in opgewekte saamhorigheid. Er werd veel gelachen en gezongen en vrolijke stemmen klonken in huis en tuin.
Er waren talloze plezierige spelletjes en veel dartele uitbundigheid, maar ook wel rustige momenten, wanneer de vrede bijna tastbaar was. Er was gemeenschap met de rijkdom van de natuur en een grote dankbaarheid, dat wij daar in dat fijne huis op die heerlijke plaats mochten wonen.
We hadden vrienden in alle bevolkingsgroepen.
Maar wie weet, misschien beseften we nog niet genoeg, dat het door de genade van onze hemelse Vader was, dat we daar zo gelukkig leefden.

Toen kwam er opeens onweer aan de heldere lucht.
De moeilijkheden in Europa brachten verontrusting en bezorgdheid. Oorlogsgeruchten.
En ofschoon ze in het begin zo veraf en onwezenlijk leken, werden ze toch bewaarheid. Na de oorlogsverklaring in september 1939 was de spanning in Europa steeds toegenomen. Wij schoolkinderen volgden wel geregeld het nieuws in de kranten en over de radio, maar het waren slechts klanken en woorden, waarvan we de draagkracht nog niet volledig beseften. Onze aandacht werd bepaald tot onze schoollessen, zodat het volle gewicht van de oorlogsbetekenis eigenlijk nog aan ons, jonge mensen, voorbijging.
Niettemin leefde iedereen in spanning, want niemand wist wat men precies kon verwachten. En de werkelijkheid was zoveel erger dan men ooit heeft kunnen vermoeden.
In mei 1940 ontbrandde de oorlog in al z'n heftigheid in Europa. Duitsland bezette ook Nederland, ons vaderland. Wij in Indië volgden de strijd met grote belangstelling en aandacht, doch wij waren machteloos vanuit de verte. Koningin Wilhelmina vertrok naar Engeland met prins Bernhard en de regering, en prinses Juliana met haar twee kleintjes naar Canada. Daarna vernamen wij in Indië niets meer van Nederland. Alle contacten waren verbroken. We wisten niets van familie en vrienden. We wisten slechts dat de koninklijke familie in veiligheid was en daarvoor dankten we God, hoewel

we begrepen, dat het vertrek van het koninklijk gezin de bodem onder de overweldigde Nederlanders moest hebben weggeslagen.
Er werd door heel Nederlands Oost-Indië actief meegewerkt om geld bijeen te brengen voor het Spitfire-fonds. En de bedragen die naar Engeland werden overgemaakt, waren niet kinderachtig.
We waren ternauwernood aan de gedachte van een oorlog in Europa gewend geraakt, toen in het Oosten zelf onheil opdaagde. Alle aandacht werd nu op Japan gevestigd. Na de aanval op Pearl Harbor op 7 december 1941 kwam de oorlogsverklaring tegen Japan. Het strijdperk verplaatste zich hoe langer hoe meer in onze richting. De lucht leek niet meer zo helder blauw. Niemand merkte de schoonheid van de natuur meer op. Over alles leek een donkere wolk te hangen. Nu werden we actiever dan ooit. Manden vol kleding voor de vluchtelingen werden opgehaald. Er ontstonden spontaan allerlei clubs en cursussen. EHBO-lessen. Naai- en kooklessen. Snelle cursussen in een paar weken tijd om kinderen bezig te leren houden. Een cursus verloskunde in drie avondlessen. Het kon allemaal te pas komen. Je wist nooit waar je voor te staan kwam. De meeste mannen oefenden zich bij de burgerwacht op allerlei situaties, die een oorlog mee zou kunnen brengen.
Jongens stelden zich beschikbaar als ordonnans.
Men gaf zich spontaan op om evacuées uit Maleisië op te nemen. Desalniettemin bouwden we schuilkelders in de tuin.
Toen Singapore viel was alles gauw bekeken. Als een mierenvolk rukten de Japanners in ontelbare massa's op. Overal in Nederlands-Indië bezetten zij steeds grotere gebieden. Medan en Palembang vielen. Java was onze enige hoop.
Maar ook Java bleek niet bestand tegen de overmacht.
Met een stem, die beefde van aandoening kondigde Bert Garthof voor de radio aan, dat ook Java zich had moeten overgeven. Nederlands-Indië moest capituleren. Huiveringwekkende tijding.
Ontzetting maakte zich van ons meester. Het was alsof men stikken zou in een schadelijke gifstof, die de atmosfeer verpestte.
De werkelijkheid was een nachtmerrie geworden, waaruit

men tevergeefs probeerde te ontwaken.
In de nacht van 16 maart 1942 maakten de Japanners hun opwachting in ons gebied aan de westkust van Sumatra. Ze omtrokken ook Fort de Kock binnen en alle plaatsen in de omstreken. In die nacht van verschrikking en neergeslagen hoop werden vele Nederlandse gezinnen uit hun huizen gejaagd. Aan de inheemsen werd toestemming gegeven om te roven en te plunderen. Ook Chinese winkels en huizen werden leeggeroofd. Op deze wijze probeerden de Japanners de inlanders op hun hand te krijgen. Velen van hen hadden een grief tegen de blanken en namen hun kans waar om wraak te nemen. Zij dachten, dat de Japanners hen vrij kwamen maken van de Nederlandse overheersing, maar al spoedig ondervonden zij, dat de zonen van Nippon in de eerste plaats gekomen waren om er zelf beter van te worden. Er waren ook meteen al geruchten van wreedheden en geraffineerde straffen, die de Japanners toepasten voor de onbenulligste overtredingen.
De eerste Japanse troepen bestonden grotendeels uit Koreanen, die nooit meer naar hun land zouden terugkeren, maar als stoottroepen al maar door moesten vechten, tot de dood er op volgde. Vandaar dat ze ook zo wreed en onverschillig in hun optreden waren. Zij waren ook meestal veel forser gebouwd dan de Japanners, die later volgden.
Er heerste met hun binnenkomst de grootst mogelijke wanorde. Roof, diefstal en plundering waren aan de orde van de dag. De blanken, die in de nacht van de overname van de stad uit hun woningen verjaagd waren, gingen bij elkaar wonen in grote gebouwen, zoals scholen en kloosters. De andere gezinnen, die nog in hun huizen verbleven, hielden zich in de komende dagen zo onopvallend mogelijk. Vooral de jonge vrouwen waagden het niet om zich buitenshuis te vertonen.
Ons gezin woonde inmiddels in een kleinere woning vlak naast de dierentuin, wat afgezonderd van de Europese wijk. We hielden zoveel mogelijk deuren en ramen gesloten, en lieten de tuin gewoon verwilderen. Immers bij zo'n verwaarloosde tuin leek het of daar niemand woonde. Bedienden hadden we toen al niet meer, nadat er een Japans dreigement was uitgegaan aan hen, die het durfden wagen om nog

voor de blanken te werken.
Omdat niemand zich de eerste weken onnodig op straat durfde vertonen, wisten we ook niet hoe de andere gezinnen het maakten. Niemand had eigenljk een juiste voorstelling van wat er om ons heen precies gebeurde. Een vreselijk onzekere toestand.
De leidinggevende bestuursambtenaren waren met vele andere Hollandse gezinnen geïnterneerd in het woon- en kantorencomplex van de assistent-resident. Daar hadden wij buiten totaal geen contact mee. Van lieverlede durfden echter de moedigsten onder ons bezoeken af te leggen bij andere buitengesloten families. Hier wil ik niet verzuimen twee namen te noemen: de dames Huijsmans en Herrebrugh, twee onderwijzeressen, gingen als goede feeën alle adressen langs om te controleren of iedereen het goed maakte. Zij noteerden waar nood was, haalden elders dingen op die misschien zouden kunnen helpen, brachten die waar ze juist nodig waren en ze regelden of bemiddelden zelfs bij onderdak voor alleenstaanden. Zij brachten ook de nieuwtjes rond. Op deze wijze kregen we voor het eerst te horen, dat de Japanners plannen hadden om de Hollanders in interneringskampen te stoppen.
Ook hoorden we het schokkende bericht, dat een stadgenote zichzelf en haar beide zoontjes had doodgeschoten, liever dan in de handen van de vijand te vallen. We vroegen ons af: wat verwachtte ze...
Zouden er werkelijk gruwzame dingen met ons gaan gebeuren? En onwillekeurig gingen onze gedachten dan voort in gebedsvorm: wees ons nabij, Here, en help ons in deze vreemde omstandigheden het juiste te doen...

2

Op de avond van 8 april werd er een bevel gepubliceerd, dat alle volbloed Hollandse gezinnen de volgende ochtend bij elkaar moesten komen, evenals de manlijke Indo-Europeanen vanaf 18 jaar. Ze zouden geïnterneerd worden, de vrouwen en kinderen in één kamp, de mannen en jongens in een ander. Ook mijn vader en broer behoorden tot de opgeroepenen.
In die beginperiode van de internering werd er uitgebreid geselecteerd wie er wel en wie er niet voor in aanmerking kwamen. Toen ik kort geleden de aantekeningen van het Hoofdbestuur van het vrouwenkamp te Padang in handen kreeg, trof ik de volgende lijst van nationaliteiten aan: 1. Blanda 2. Indo-Blanda 3. Engels 4. Indo-Engels 5. Frans 6. Duits 7. Indo-Duits 8. Belgisch 9. Indo-Belgisch 10. Amerikaans 11. Canadees 12. Australisch 13. Zwitsers 14. Indo-Zwitsers 15. Surinaams 16. Indonesisch 17. Ambonees 18. Menadonees 19. Chinees 20. Chinees-peranakan 21. Anglo-Indisch 22. Arabisch 23. Oostenrijks. Bij de aanvang van de internering echter kon men met het noemen van inheemse voorouders uit de kampen blijven. Een moeilijkheid, die men niet over het hoofd mocht zien, was dat de vrouwen die niet in aanmerking kwamen voor internering geen kans zagen om zonder bescherming van een manspersoon alleen met de kinderen achter te blijven.
Op dezelfde dag dat de mannen weggevoerd werden kwamen hun gezinnen dan ook bij elkaar om in de grootste huizen te gaan samenwonen.
Het was hard om al onze persoonlijke bezittingen, waaraan we zoveel sentimentele waarde hechtten, zo maar achter te moeten laten in een onbeheerd huis. Alleen het allernoodzakelijkste kon je immers meenemen. En het was zo goed als zeker dat er geroofd en vernield zou worden zo gauw we onze hielen gelicht zouden hebben.
Het was een stille uittocht, die ochtend. Droevig was het af-

scheid van onze dierbaren, want niemand wist wanneer en onder welke omstandigheden we elkaar ooit zouden weerzien. De laatste groet voor de ander was een onuitgesproken of gestamelde bede, die diep uit het hart kwam: 'God behoede en beware jullie...'

Nadat onze familie en vrienden die geïnterneerd werden vertrokken waren, bleef er een gevoelige leegte achter, die we voor elkaar probeerden op te vullen. Diezelfde middag was er opeens een grote, blije verrassing voor ons: drie van de mannen die deze ochtend opgehaald waren werden weer teruggestuurd. Eén van hen was dokter Gerritsen, die voor de gezondheid van de mensen buiten de kampen moest zorgdragen. De twee anderen waren mijn broer Eddy en zijn vriend Jan, die op de een of andere manier net onder de leeftijdsgrens vielen. Wat waren zij welkom bij ons.
Vier dagen lang konden we ongestoord in het huis van de familie De Beer blijven. Toen kwamen er een paar Japanse officieren met een Australische krijgsgevangene als hun tolk, die ons met grauwen en snauwen beduidden, dat wij dit huis moesten ontruimen, omdat zíj het nodig hadden. De jonge Aussie, die niet ouder dan 24 geweest moet zijn, was hypernerveus en zeer onderdanig, maar tegenover ons heel beleefd en kennelijk maakte hij zich zorgen om ons. Hij herhaalde verschillende keren smekend: 'Please, please,' toen mevrouw De Beer met de baby op de arm heel waardig en fier voor de officieren stond en probeerde gedaan te krijgen om te blijven: 'Why cannot we live together in this house till our husbands come home?'
Op stel en sprong een ander huis vinden viel nog niet mee. Sommigen van ons gezelschap zochten toen hun onderkomen in het nonnenklooster. De rest, waaronder ons gezin, kon bij een paar andere families iets verder in de straat intrekken. Er waren in dat huis bijna geen meubels aanwezig. Maar we deden alsof we aan het kamperen waren. De stemming was opgewekt. We verdeelden het werk onder elkaar. Er werd in de keuken of in de tuin gekookt, waar van een paar grote stenen een stookgat gemaakt werd. Er was een ploeg die de was deed, of de afwas. Er waren er die zich met de kinderen bezighielden, en anderen die het huis schoon-

maakten en de tuin veegden. Zodra de kleintjes naar bed waren werd er gewoonlijk zacht gepraat of wat gezongen (zacht, om geen ongewenste gasten te lokken), tot het ook voor ons tijd was om te gaan slapen en we ons in de kamers terugtrokken, waar de matrassen naast elkaar op de grond lagen. Voor de jongeren was dat niet erg. Het maakte het vakantie-kampeergevoel alleen maar meer compleet.

Na een paar dagen kregen we weer Japans bezoek. Een officier, die een lichte uitzondering was op al de onbehouwen kerels waar we tot dan mee te maken hadden gehad. Deze was beschaafder in zijn optreden en behandelde ons sympathiek, in zoverre men van sympathie van een vijand kon praten. Hij nam blikjes melk voor de babies mee, en voor een jonge moeder bracht hij babykleertjes... die uit haar eigen huis gehaald bleken te zijn. Toen hij dit begreep ging hij nog meer dingen uit haar huis halen, onder meer foto's van haar man en ouders. Dat was natuurlijk aardig van hem, maar toch konden we hem niet vertrouwen. Wat waren zijn bedoelingen?
Tenslotte kwam hij met een vraag voor de dag. Hij wist dat deze dame de vrouw van een Hollandse officier was en polste haar over de Japanse krijgsgevangenen. Zij verzekerde hem, dat ze daarmee niet op de hoogte was. Hij wilde haar aanvankelijk niet geloven. In gebroken Engels en Maleis bleef hij maar aandringen. Toen hij eindelijk inzag, dat ze het werkelijk niet wist, hield hij er gelukkig over op. Toen bleek ook, dat hij het goed met ons meende, want hij kwam ons waarschuwen, dat binnen een paar dagen alle huizen rondom het onze door Japanse troepen betrokken zouden worden. Hij gaf ons de raad om liever hier vandaan te gaan, aangezien het voor ons niet aangenaam zou zijn te midden van de troepen te wonen.
We waren zeer dankbaar voor de wenk en verhuisden zo spoedig mogelijk. Velen gingen ook weer naar het nonnenklooster, dat een paar dagen later naar het interneringskamp in Padang werd overgebracht.
Mijn moeder had van onze oude bediende, die ons in het geheim bezocht had, gehoord dat ons huis naast de dierentuin nog net zo ongebruikt stond. We besloten, dat we daar maar

weer in zouden trekken. We hadden nu immers twee mannen bij ons, Eddy en Jan, zodat we ons wat veiliger voelden. Twee zusje van Jan sloten zich ook voor enige tijd bij ons aan. Zo hebben we ruim een maand lang, mijn moeder met acht jonge mensen, zo gelukkig en tevreden als de omstandigheden het toelieten, in ons oude huis gewoond. Natuurlijk deed de scheiding van Pappie ons veel verdriet, en ook waren er geldzorgen en persoonlijke moeilijkheden, maar toch probeerden we optimistisch te zijn en elkaar als een aanvullend gezin te verstaan en te helpen. Ieder voor zich deed zijn of haar best om de tijd met elkaar zo prettig mogelijk door te komen, want je wist nooit wat de volgende dag voor je in petto zou hebben.

Het leven bood ons in die dagen maar zeer weinig bestaansmogelijkheden. We hadden totaal geen inkomsten. Er was ook geen kans voor een blanke om ergens te werk gesteld te worden, zonder de vijand in de kaart te spelen.
Dus moesten de blanken die buiten de kampen verbleven, op allerlei vindingrijke manieren proberen in hun levensonderhoud te voorzien. Sommigen verkochten koekjes en eterijen buitenshuis. Anderen probeerden het met wat naaiwerk. Het waren schrale verdiensten, die spoedig doodliepen, omdat er niet voldoende bestanddelen en materiaal aangevoerd werden. Wat er kwam was bovendien van slechte kwaliteit. Mijn moeder heeft bijvoorbeeld in het begin brood gebakken voor de verkoop. Maar het meel, dat ons verkocht werd, lééfde niet alleen van de torretjes en andere insecten, maar stonk nog bovendien. We moesten er wel mee stoppen. Toen waren we genoodzaakt telkens iets van onze inboedel te verkopen, wat niet zonder gevaar was. De Japanners hadden immers gezegd, dat al onze bezittingen na onze capitulatie van hen waren. Dus mochten we er zelf niet over beschikken. We moesten daarom wel zeer op onze hoede zijn, dat de spionnen van de Japanners niet zouden ontdekken, dat we toch af en toe iets verkochten. Je wist maar niet wie dat waren. Wie kon je spontaan nog vertrouwen in die tijd?
Mammie was een heel gelovige vrouw. Ze bad dagelijks met ons of God ons wilde helpen en bewaren voor alle gevaar.

En heel dikwijls hebben wij ook duidelijk ervaren, dat Hij zich met ons groepje bemoeide. Het is meerdere malen voorgekomen, dat de nood bij ons op z'n hoogst was en dat er van een onvermoede kant ineens uitkomst kwam, wat zo'n sprekende verhoring op ons gebed was, dat we er stil van werden. We maakten meer dan eens mee, dat er die dag helemaal niets te eten was en geen geld om het te kopen. En dat er dan overwachts iemand kwam om een lening in te lossen die hij zei eens bij Pappie afgesloten te hebben, waarvan wij niet eens op de hoogte waren.
Zo bleek, dat Paps ook eens een Chinese restauranthouder uit de moeilijkheden gehaald had. Verschillende keren gebeurde het, dat we geen maaltijd op tafel konden brengen en dat juist dán die Chinees met een rantang voedsel uit zijn eethuis bij ons kwam uit dank voor wat vroeger gebeurd was. Een andere keer kwam iemand van onze oude bediendes of van mijn vaders ondergeschikten groenten of vruchten uit hun eigen tuin brengen. Wij zagen achter al deze mensen de zorgende liefde van onze hemelse Vader, die hen als werktuigen in Zijn hand gebruikte.
We beschouwden het ook als een zegen, wanneer er in alle stilte een koper opdaagde, die een behoorlijke prijs voor onze spulletjes wilde betalen. Het eerste van alles verkochten we onze luxe artikelen. Overtollige meubels. Daarna onze fietsen, de een na de ander. Later de naaimachine. En het linnengoed.
In die dagen liepen we ook het risico om gevangen genomen te worden als de clandestiene briefwisseling met de mensen in de kampen ontdekt zou worden. De personen, die de brieven in en uit de kampen smokkelden, deden dit met groot gevaar hun leven te verliezen. We hoorden van enkele personen die daarbij gesnapt werden. Na onvoorstelbare martelingen werden zij tenslotte gedood.
Toch waren er altijd weer mensen, die het er op waagden om contacten te leggen tussen de kampbewoners en hun verwanten daarbuiten. Meestal niet zo zeer uit liefdadigheid, als wel uit winstbejag. Zij lieten zich er ook goed voor betalen. De uitzonderingen niet te na gesproken.
Er waren er ook, die bij de mensen thuis kwamen om kleren en geld voor hun relaties in de kampen te vragen. Hoe wist

je ooit zeker dat je man of zoon de dingen die je voor hen meegaf ook werkelijk ontving? Het bracht ons daarbuiten vaak in verlegenheid als zo'n smokkelaar je een mondelinge boodschap van je familie in het kamp overbracht. Was het wel te vertrouwen? Als je weigerde om de gevraagde dingen mee te geven, omdat je de boodschapper niet kende, zou je het jezelf achteraf nooit vergeven. Het zou wel eens het laatste verzoek kunnen zijn waarvan je de kans om het in te willigen liet schieten.

Zo werden we heen en weer geslingerd tussen vertrouwen en wantrouwen, hoop en wanhoop, zekerheid en twijfel.

Op een dag kwam er op een stil uur heel behoedzaam en voorzichtig een Menadonees bij ons aan. Hij lette zorgvuldig op of er geen vreemden bij ons waren en terwijl hij zacht fluisterend met mijn moeder sprak, gingen zijn ogen rusteloos en waakzaam rond. Er mocht eens iemand langs komen, die hem bij ons zag praten.

Hij vertelde Mammie, dat hij Paps goed gekend had en nu die geïnterneerd was wilde hij zien, of wij zijn hulp ook konden gebruiken. Op zijn manier probeerde hij ons moed in te spreken, maar we konden gewoon niet vertrouwelijk met hem zijn. Hij kwam een paar keer. Altijd was zijn komst geheimzinnig en hij deed steeds zo omzichtig en stiekem. Toen kwam hij met een vreemd verhaal over een geheime vereniging, die hij met zijn vrienden in het leven geroepen had, speciaal om de blanken te helpen. Hij zei, dat ze een landgoed konden kopen, waar een hele groep blanken zich zou kunnen verbergen. Men zou van de opbrengst van het stuk land kunnen leven. Nu ging hij de blanken rond, die daarvoor in aanmerking kwamen om geld bij elkaar te krijgen voor de aankoop van de grond. Alles moest in het geheim gebeuren, de Japanners mochten natuurlijk geen argwaan krijgen.

We wisten maar niet wat we aan hem hadden. Hij zei, dat we ons gereed moesten houden. Op een nacht zou er zacht op onze deur geklopt worden en iemand zou door het sleutelgat zijn naam 'Malonda' fluisteren. Dan moesten we onmiddellijk met onze koffers naar buiten komen. Er zou een vrachtauto staan om ons op te laden en ons naar de schuilplaats te brengen.

De hele geschiedenis begon ons op de zenuwen te werken. We beloofden niets, maar wat zouden we moeten doen, als hij of zijn vrienden werkelijk op een nacht zouden komen? We konden er niet in geloven. Het was toch iets totaal onmogelijks, dat een groep blanken zich zo maar op een plek zou kunnen schuilhouden in een land als Sumatra? Hoe zou dat ooit waar gemaakt kunnen worden? Stel, dat het al in principe zou lukken, hoe lang zou het duren, voordat je ontdekt en verraden zou worden? En wat zou de straf dan niet zijn... Bovendien hadden we niet eens geld. Was het misschien daarom, dat we er nooit meer iets van hoorden? Hij noch iemand anders is ooit gekomen om zijn naam door ons sleutelgat te prevelen.
Veel later hoorden we, dat de Japanners achter Malonda aanzaten. Hij wilde echter onder geen voorwaarde in hun handen vallen en is, zoals het gerucht ging, van de rotswanden van het Karbouwengat omlaag gesprongen. De waarheid omtrent deze man en zijn bedoelingen zijn we nooit te weten gekomen.

In juni van datzelfde jaar, 1942, stopte er op een dag een sado (vervoerkarretje door een paard getrokken) voor ons huis. De man die er uit stapte floot. In huis, waar wij met verschillende werkjes bezig waren, stonden we en bloc stil. Dat was toch Pappies herkenningsfluitje! Speelde onze verbeelding ons nou parten? We wisten toch zeker dat hij in het mannenkamp geïnterneerd zat? En hier floot iemand voor de deur zijn melodietje: ‘Mannenbroeders, ziet het teken wapprend in de lucht. Uw versterking komt van boven, weest dan niet beducht.’ Op zijn manier.
Iedereen liet staan waar hij of zij mee bezig was en stormde tegelijk de deur uit. En werkelijk, daar kwam onze vader aangestapt met z’n koffertje in de hand. Onmiskenbaar Pappie.
Onze opwinding en blijdschap waren onmetelijk. We waren allen ontroerd. De uitleg van de onverwachte vrijlating was van geen belang. Hoofdzaak was dat hij terug was. We waren als gezin weer compleet. Aan de oorlog dachten we in eerste instantie niet meer.
Deze verademing duurde echter niet zo lang. Toen Paps ver-

telde kwamen we met een plof tot de werkelijkheid terug. Hij was met nog een groepje mannen lukraak door de Japanse commandant aangewezen en uit het kamp ontslagen. Om welke reden kon niemand vermoeden.
Jaren later hoorde ik van iemand, die toen zelf in het kamp achter moest blijven, hoe er onder die blijvers jaloezie en afgunst heersten om de vrijlating van deze willekeurige groep. Toen had iemand opeens een wijze opmerking gemaakt, die als een profetie geklonken had: 'Wees niet jaloers; er zal een bedoeling achter deze vrijlating liggen. Ik vrees, dat wij hen voor niets benijden. Deze schijnedelmoedigheid van de Jap vertrouw ik voor geen cent...!' Hoe wáár bleek de intuïtie van deze man. Maar ik zal niet op de geschiedenis vooruitgrijpen. Een geluk dat wij niet in de toekomst kunnen lezen. Als we geweten hadden wat ons te wachten stond, zouden we de moed bij voorbaat hebben kunnen verliezen.

Ons gezelschap had zich intussen weer uitgebreid. We hadden twee nieuwe huisgenoten opgenomen: een jonge onderwijzeres en een aanstaande moeder, wier man geïnterneerd was. Deze vrouwen waren al verschillende keren uit hun woning gezet en hadden niet meer geweten waarheen te gaan, toen mijn ouders van hen hoorden en een kamer voor hen in huis vrij maakten. Kort daarop werd Mary-Joan geboren.
Ondertussen verliepen onze dagen maar eentonig. We waren telkens genoodzaakt van onze goederen afstand te doen om aan voedsel te komen. Dan was er weer een periode dat ons rustige leventje door onverwachte bezoeken van Japanners werd verstoord. Omdat we vlak naast de hekken van de dierentuin woonden, kwamen er heel wat Japanners in onze tuin, vóór of nadat ze de dierentuin bezochten, en zaten op onze schuilkelder vruchten te eten, of kwamen binnen om drinken te vragen. We kregen soms zelfs ook nachtelijke bezoekers. Ze hadden altijd wel de een of andere smoes bij de hand. Als ze niet kwamen controleren of de radio wel goed verzegeld was (we mochten daar immers niet naar luisteren), dan werd het huis wel op wapens onderzocht. Of ze jaagden zogenaamd op een bepaald persoon, die zich in deze buurt schuil zou houden. Ze doorzochten altijd alle kamers, rommelden in de kasten en laden, en namen en passant polshor-

loges, fototoestellen en wat er meer van hun gading was, mee. Als ze overdag kwamen, ontzagen ze zich niet het voedsel, dat bijvoorbeeld juist werd opgediend, te verorberen, of er van mee te nemen. Terwijl ze ons ondervroegen aten ze een tros bananen uit de schaal achter mekaar op, of zochten naar rauwe vis in de koelkast, bij mensen die deze nog hadden. Het was ergerlijk om toe te moeten zien, hoe ze in jouw bezittingen rondneusden en overal met hun vingers aanzaten, of zij over alles heer en meester waren.
Ook kwamen zij dikwijls om ons te registreren of om aan te zeggen dat we ons ergens moesten melden voor registratie. De Europeanen, die niet in kampen geïnterneerd waren moesten meerdere malen komen om te laten zien, dat ze nog aanwezig waren. We werden op de gekste tijden opgeroepen en moesten dan urenlang wachten en soms nog op een andere dag terugkomen. We moesten altijd ons persoonsbewijs bij ons hebben en ons Japanse kenteken op de linker mouw gespeld dragen. En voor elke Japanse soldaat die we tegenkwamen diep buigen. Ze werden onaangenaam als je ze niet zag of niet gauw genoeg boog.
Op een nacht kwam een dronken Japanner met een Indonesische tolk (die hem moest ondersteunen en met z'n houding niet goed raad wist), omdat, zei hij, iemand van ons huis die middag bij het passeren van een onderdaan van Dai Nippon deze niet voldoende eer had bewezen.
Er was niet diep genoeg gebogen. Iedereen moest aantreden, dan zou hij de schuldige wel aanwijzen. Die moest gestraft worden. Mijn ouders probeerden iedere huisgenoot er buiten te houden en wilden hem met een kluitje in het riet sturen, door te zeggen, dat er niemand van ons die middag de straat op was geweest, hij moest zich vergissen en dit was toch geen tijd om mensen te verhoren, waarom was hij niet 's middags gekomen, toen het zogenaamd gebeurd was? Doch de dronken Japanner liet zich niet ompraten en strompelde waggelend de richting uit van de slaapkamers. Toen zijn we maar allen te voorschijn gekomen en bij elkaar gaan staan in de eetkamer. Een zondebok moest er natuurlijk zijn, dus wees de man in het wilde weg naar Dé, de onderwijzeres. Die kreeg een lallend standje in het Japans, en als de man niet zo onvast op z'n benen had gestaan zou ze ook

nog een schop gekregen hebben. Nu echter deed de beweging hem omvallen, terwijl zijn slof in een boog door de lucht vloog. Alsof het een stout kind betrof schudde Mammie waarschuwend haar vinger voor z'n gezicht heen en weer. En Paps zei iets over de commandant, die dit te horen zou krijgen. Daarop sleepte de tolk met veel haast en moeite de wankele Japanner de deur weer uit, de duisternis in.

In die tijd hadden we ook met ernstige ziekten te maken. Eerst kreeg Gerda, mijn tweelingzus een dubbele longontsteking, waaraan ze dacht te zullen sterven, maar zij kwam er doorheen, dank zij dokter Roesma. En daarna kreeg onze pleegbroer Jan een gemeen abces, waardoor zijn been opzette en hij er aan geopereerd moest worden. Als dank voor hun genezing bakte Mammie voor het ziekenhuis-personeel een tapé-taart, die zij als rumtaart verorberd hebben. Tapé is een gistingsproces van kleefrijst of van casave, die inderdaad sterk alcoholisch kan smaken.

In onze bijgebouwen woonde een weduwnaar met drie kinderen, waarvan de jongens op een dag met stapels bibliotheekboeken kwamen aandragen. Ze hadden er bij gestaan, toen de scholen werden leeggehaald en hadden gezien hoe alle materiaal op een hoop gesmeten werd en in brand gestoken. Slim als zij waren hadden zij kans gezien om ettelijke boeken te redden, zodat zij daarna zelf bibliotheekje konden spelen, wat zekere inkomsten voor hen betekende.

Doordat de Japanse soldaten graag naar de dierentuin gingen en overal met hun vingers aanzaten, en wij er vlak naast woonden, werden wij ook rechtsteeks betrokken bij het gevaar dat optrad wanneer er een dier losbrak en ontsnapte. Dit was zeker het geval toen de volwassen orang-oetan Jacob op een dag via een nonchalant gesloten nachthok de vrijheid verkoos. Paniek alom. Overal politie en soldaten op de been. Het was des te griezeliger, omdat sinds de ontdekking elk spoor van het beest ontbrak. Daar het kinderrijke dierenartsengezin op het dierentuinterrein zelf woonde, moest het geëvacueerd worden, dus trokken ze bij ons in. Uren later werd Jacob gesignaleerd in de grote woeniboom

op het voorerf van de dierentuin. Daar de orang-oetan dol was op eieren, liet dokter Bernecker op verschillende plaatsen onder de boom wat eieren neerleggen, die allemaal ingespoten waren met een slaapmiddel. Als Jacob honger kreeg zou hij wel een ei pakken het opeten en in slaap vallen. Dan zouden ze hem gemakkelijk met een net kunnen vangen. Waar de dierenarts niet op gerekend had, was dat de aap zeer gretig eerst alle eieren verzamelde en ze daarna alle zes achter elkaar opat, wat hem een slaapperiode van minstens drie dagen bezorgde, en de dokter de zorg om hem weer wakker te krijgen!
Een andere keer trof men een krokodil in de benedenstad aan. Het was gelukkig een tandeloze ouwe lobbes, die zich snel liet vangen, maar hij bezeerde toch iemand met een slag van zijn staart.

Toen de helmcasuarissen uit de dierentuin aan de leg kwamen en de Japanners de eieren opeisten, evenals trouwens de kippen en eenden uit de tuin, werd het een sport om ze vóór te zijn. Dus zorgde de dokter, dat hij eerder dan de Japs een bezoek bracht aan de rennen. En meer dan eens kwam hij ook ons een casuaris-ei brengen. Zo'n ei was lichtgroen en fijn gespikkeld en had een inhoud gelijk aan ongeveer dertien kippeëieren. Dus daarvan werden verschillende omeletten gemaakt en soms nog cake er bij. Alleen nooit een spiegelei, omdat we, om de mooie schaal zo veel mogelijk heel te houden, de inhoud eruit moesten blazen. Van deze eierschalen maakten we mooie schemerlampjes.
Met kerstmis 1942 zorgde dokter Bernecker er ook voor, dat wij met onze huisgenoten een heerlijke maaltijd kregen. Deze keer legde hij voor dag en dauw een geslachte eend in onze keuken. 'Als de Jap ze toch allemaal opeet gun ik ze jullie liever.'
Er kwam nog wel meer eten uit de dierentuin, nl. fruit. Er groeiden op een bepaalde plek van die lekkere eetbare passievruchten waar Eddy en Jan af en toe mee thuis kwamen. Ze wilden ons niet vertellen waar ze ze geplukt hadden. Toen mijn zusjes Una en Wies erop aandrongen hen de plek te wijzen, zodat zij ze zelf ook konden plukken, keken de jongens elkaar met een veelbetekenende blik aan en barstten

in lachen uit. Op een keer waren we op bezoek bij het gezin van de dierenarts en vroegen ronduit waar de passifloraplanten nu eigenlijk groeiden. 'Tegen de leeuwenkooien aan, helemaal tot over de daktralies heen,' werd ons verteld. Daar schrokken we toch van. De leeuwenkooien waren helemaal van ijzeren tralies opgebouwd, zo'n vijf meter hoog, en daarmee ook afgedekt. De passiebloem is op Sumatra een wilde klimplant en begroeide de leeuwenkooien aan de achterzijde bijna helemaal. De vruchten groeiden echter aan de bovenkant, zodat de jongens met moeite op de tralies in evenwicht hebben moeten blijven staan, terwijl de leeuwen beneden hen omhoogsprongen. Natuurlijk volgde er toen een verbod op deze waaghalzerij. Daarna zochten de jongens een andere mogelijkheid om iets voor de maaltijd thuis te brengen. Dat lukte hen bij het slachthuis, waarvandaan dagelijks emmers vol gestold bloed naar de dierentuin gebracht werd als voedsel voor de wilde dieren. Doch ook de plaatselijke bevolking gebruikte het, en maakte er heerlijke gerechten van.

De heer Moerad, in die dagen directeur van het slachthuis, stond de jongens toe bij het slachten aanwezig te zijn en met een meegebracht emmertje het verse bloed ter plekke op te vangen. Prompt ging Eddy de eerste keer daarbij tegen de vlakte, en ook Jan kwam spierwit en bibberig thuis. Maar het emmertje bloed kon als surrogaat van lever voor een goede maaltijd zorgen. En waar kon je bovendien gratis aan voedsel komen? Dus verzamelden ze alle moed en gingen later weer.

Het werd steeds moeilijker voor ons om geld bijeen te brengen voor de huur van het huis en voor de dagelijkse maaltijden.

Indonesische kennissen brachten eens schildpadeieren (net pingpongballen met een deukje) en kalongvlees (vliegende honden, of reuzevleermuizen), waar we van smulden. De vindingrijkheid onderling was groot en men wisselde ideeën uit, gaf elkaar goede tips, maar voorzichtig, om elkaar en zichzelf niet in de narigheid te brengen. Als je iets te kopen of te verkopen had moest dat allebei even omzichtig gebeuren.

De dames Huijsmans en Herrebrugh, die voor de feestdagen

speelgoed en andere artikelen bij de ene familie ophaalden en bij andere families uitdeelden, fungeerden nog steeds als nieuwsdienst. Zo bleven we een beetje op de hoogte van wat er met onze mede-stadgenoten gebeurde. Er waren achteraf nog weer mensen, die geïnterneerd moesten. De families Koster en Sierenberg de Boer mochten hun hondjes niet meenemen naar het kamp en er was niemand, die er voor wilde zorgen: wie wist er een oplossing? Zo deden Bonzo, de foxterrier, en Hansl en Gretl, de poedeltjes, hun intrede in onze grote, in omvang steeds toenemende familie.

Als de jongens van de markt terugkwamen met de boodschappen, konden we er bijna een eed op doen, dat er wel iets bij zou zijn, dat min of meer oranjekleurig was. En dat lag nooit onderaan in het mandje. Een papaja, mangga's, tomaten, worteltjes, iets daarvan lag altijd bovenop. Op een dag werden zij aangehouden door een Indonesiër, die daar erg in had. Hij wees naar de peentjes.
'Niet meer oranje-boven nou,' zei hij. 'Jullie koningin is gevlucht.'
'Onze regering zit momenteel in Engeland,' glimlachte Jan.
'En de koningin komt eens terug naar Nederland,' vulde Eddy aan. En fluitend gingen ze verder. Ze floten een paar regels van het Friese volkslied. Daar zongen we in Indië sinds de Duitse inval in Nederland andere woorden bij:

'Eens komt de dag, dat Neerland zal herrijzen,
eens slaat het uur, dat Neerland weer zal staan,
vrij, onafhanklijk, geschaard om zijn vorstinne.
Houd goede moed. Die dag breekt spoedig aan.'

En dan het refrein:

'Neerland herrijst en zijn fiere vorstin
haalt het met geestdrift en vreugde weer in.'

Alle scholen hadden dit lied ingestudeerd, dus deze jonge Indonesiër kende het ook. Het irriteerde hem nu, dat de jongens juist deze melodie floten. Hij keerde zich kwaad naar hen toe en probeerde de bos peen weg te grissen. De jongens hadden echter een Japanner zien naderen, waar zij beleefd voor bogen. De Indonesiër schrok, want hoe zou hij aan een Japanner kunnen uitleggen wat hier aan de hand was: dat een kleur en een flard van een liedje iemand in deze omstan-

digheden woest konden maken. En hij had zich als Indonesiër niet eens met deze blanda's mogen ophouden. Bovendien zou hij misschien als dief beschouwd worden, omdat hij met zijn hand aan de penen was gekomen. Hij boog dus in optima forma om de Jap gunstig te stemmen. Die bleef natuurlijk toch staan en informeerde: 'Apaka?'
'Tidak apa-apa,' legden de jongens uit. 'Er is niets aan de hand, hij vraagt alleen om een wortel.' De een stak de Indonesiër een peen toe, de ander bood er de Japanner een aan. Ze bogen nogmaals en verwijderden zich al kauwend.

Ons huis en de bijgebouwen telden steeds meer bewoners en raakten aardig vol. Toen kreeg Dé, de onderwijzeres, een lumineus idee. Ze had vroeger een kamer gehad bij een oude dame, die een groot, ouderwets huis bewoonde. Toen Oma van der Stok geïnterneerd werd had Dé niet alleen in dat grote huis willen achterblijven en was aan haar zwerftocht begonnen. Nu eens hier, dan weer daar had ze zich bij anderen aangesloten, voordat ze bij ons was terecht gekomen. Nu hoorde ze echter van Malintang, de oude tuinman van Oma van der Stok, dat het oude huis nog helemaal leeg stond. Door middel van gesmokkelde briefjes informeerde Dé bij de oude dame of zij haar goedkeuring kon geven, dat wij er met ons hele groepje in zouden trekken. We kregen schriftelijk haar toestemming. Oma van der Stok had zoveel zorgen gehad over haar huis en tuin, die zo lang onverzorgd waren achter gebleven, dat ze het zelfs toejuichte als wij daar wilden wonen. Ze stond ons toe gebruik te maken van alles wat er nog aanwezig zou zijn. We zouden onze eigen groenten kunnen kweken en vruchten van de talloze bomen plukken. En er zou voor elk van ons meer ruimte zijn. Het was echter bijna ondoenlijk om van de Japanse autoriteiten vergunning te krijgen om te verhuizen. Maar na veel heen en weer geloop was alles eindelijk officieel in kannen en kruiken.
In die tijd bestond er echter geen verhuisbedrijf meer, dat de Europeanen ter wille durfde te zijn. Per gratie en onder strenge geheimhouding leende iemand ons tenslotte een driewielige trekkar, waarop wij stuk voor stuk al ons hebben en houwen versjouwd hebben. Het duurde wel een week voor-

dat we verhuisd waren.
Het nieuwe huis lag tegenover een ziekenhuis. Wij gaven natuurlijk veel bekijks aan de lopende patiënten. Die stonden bij het hek aldoor naar ons gesjouw en geploeter te kijken. Aan het eind van die week wenkte er één mijn vader. Het was een Japanse officier in loopgips. Hij begon een praatje in keurig Engels, sprak zijn bewondering uit over de wijze, waarop ons groepje zich geweerd had bij de verhuizing, begreep hoe moeilijk het voor ons geweest moest zijn. Hij merkte zuchtend op, dat de oorlog zich tussen alle menselijke verhoudingen plaatste. Wij waren nu vijanden van elkaar, buiten elkaars wil om, door de samenloop van omstandigheden. Maar hij koesterde geen vijandschap jegens ons, integendeel, hij voelde sympathie, maar hij kon ons helaas nergens mee van dienst zijn om het ons wat aangenamer te maken. Dat speet hem erg en hij zei: 'Sorry for what must happen and what my nation does against yours.' Kort daarna werd hij uit het ziekenhuis ontslagen en we zagen hem nooit meer.
Het grote huis en de ruimte er omheen gaven ons het gevoel weer eens met vakantie uit te zijn. We genoten oprecht. Het werk in en buitenshuis werd in groepsbeurten verdeeld. En er werd met lust en ijver aan het kweken van een eigen moestuin begonnen. Daar kwam veel spitwerk aan te pas. Hierbij verwondde Eddy eens met de patjol (hak) zijn enkel. De wond werd een tropische zweer, die pas na de oorlog, in 1946, heelde.
De vele vruchtbomen en bloemperken in de omvangrijke tuin maakten dat we ons, te midden van deze waanzinnige oorlog, als in het paradijs waanden. Behalve dat er soms Japanners kwamen om onze mooiste bloemen af te snijden, hadden we hier niet veel last van hen, hoewel ons naaste buurhuis, vroeger een hotel, nu een bordeel geworden was, met Koreaanse, Japanse en Maleise meisjes. Er stond echter een hoge omheining voor en een behoorlijk stuk tuin omheen, zodat we niet bij elkaar hoefden in te kijken.
Toch maakten we hier nog een pijnlijk incident mee. Vóór aan ons huis was een plankje getimmerd met Japanse lettertekens er op. Voordat hij vertrok had de Japanse officier uit het ziekenhuis ons de raad gegeven het plankje, dat volgens

hem betekende, dat dit een tehuis voor Japanners zou zijn, zo snel mogelijk te verwijderen. Dat was beter voor ons. Terwijl we er nog mee bezig waren werd er van de straatkant opeens geroepen en geschreeuwd en met veel trammelant stapte een Japans soldaat het erf op, met een paar inlandse tolkjes in zijn vaarwater. Het waren nog schoolkinderen. De Japanner blafte ons af, wat gretig vertaald werd. Maar toen wij probeerden uit te leggen, dat wij hiervoor toestemming hadden gekregen van een Japans officier wisten zij niets anders te zeggen dan: 'Ini rumah Jepang – dit huis is van Japanners,' en deden zelfs geen moeite ons antwoord te vertalen. Wij hadden ook geen schriftelijk bewijs, dus hebben we het bewuste plankje er maar weer op gespijkerd. Dat suste de gemoederen en ze vertrokken weer. Wij haalden opgeruimd adem.

3

Wij woonden ongeveer een maand in het nieuwe huis en de tomaten begonnen net te rijpen, toen er op een dag een paar Japanners verschenen, met een Indonesische tolk. Zij brachten ons plompweg de tijding dat we geïnterneerd zouden worden. In Padang. En wel zo snel mogelijk. Om juist te zijn: binnen een uur. Het was juist etenstijd en ons middagmaal was net op tafel gebracht. Maar er was geen tijd om aan eten te denken.
Slechts het allernodigste mochten we meenemen. De Japanse soldaten en Bakri, de tolk, liepen ons voor de voeten en jaagden ons op: 'Geen onnodig goed meenemen. Laat dit maar liggen en laat dat ook maar staan. Maak liever voort. Als het uur om is en jullie zijn hier niet weg, dan zwaait er wat. De commandant houdt niet van wachten. Schiet dus op. Hurry!! Lekas! Lekas!'
Wat gaat er op zulke momenten door je heen. Geïnterneerd worden! Toch nog? Waarom heeft God Paps dan weer thuis laten komen, als het toch de bedoeling was dat we weer uit elkaar geslagen zouden worden? Na die heerlijke 'vakantiemaand' hierbuiten viel ons deze aanzegging wel rauw op het dak. Het was ook zo lang te mooi geweest. Zoiets kon immers niet duren.
Gebeden kunnen opgezonden worden zonder gevouwen handen en gesloten ogen. We wisten van elkaar, dat we om kracht en sterkte vroegen, terwijl onze ogen alles in de kamer sorteerden en onze handen deden wat gedaan moest worden.
Het viel de tolk op, dat mijn moeder een paar boeken pakte, er een aan Pappie en Eddy gaf, die naar het mannenkamp zouden gaan, en een ander op haar eigen stapeltje kleren neerlegde. Hij wees er naar.
'Onnodig,' zei hij kortaf.
Mammie drukte het boek tegen zich aan.
'Het allernodigste,' zei ze. ' 't Is Gods Woord.' De tolk

draaide zich om en verliet de kamer.
Nog nooit was een uur zó gauw voorbij. De bagage werd op een vrachtwagen geladen. De mannen kregen bevel er ook op te klimmen tussen de bagage. De vrouwen en meisjes zouden met de trein gaan. We moesten naar het station lopen en al onze bagage zelf dragen. Acht gewapende politieagenten bewaakten ons of we een troep misdadigers waren. Helmy, de moeder van Mary-Joan, laadde haar kinderwagen vol met de allernodigste dingen, maar ze lieten het haar niet toe. De wagen moest achterblijven. Het hele eind moest ze haar baby en hun bezittingen zelf dragen. Natuurlijk hielpen we elkaar zo goed we konden. Ieder droeg zoveel mogelijk.
Niemand langs de weg mocht met ons praten. Er stonden nogal wat inheemsen met gemengde gevoelens naar ons kijken. Si Gaèh, ons oude groentevrouwtje, snelde met luid gejammer op ons af, liep met ons mee. Dat haar lieve njonja zo vernederd werd vond ze heel erg. Ze huilde oprecht en greep Mammies hand, maar ze werd door een van de agenten ruw weggestoten en fel afgesnauwd.
Bij het station aangekomen werden we in een coupé opgesloten met twee gewapende wachten er bij. Er werd nog een groepje vrouwen bij ons in gelaten, ook op weg naar het interneringskamp. Toen gingen de deuren dicht en vertrokken we.

Het boemeltreintje sukkelde langzaam tegen de hoogvlakte op en omlaag tussen de ruige bossen en bewerkte cassavetuinen van de dessabewoners. Maar we konden niets zien, want de ramen waren geblindeerd en alles zat potdicht. Er mocht geen raampje open.
Er was gelukkig wel licht aan. Maar het was nogal benauwd. We vergingen haast van de hitte en de bedompte lucht in de wagon. We wilden echter aan de Japanner en de inlandse agent niet tonen, dat we ons slecht op ons gemak voelden, dus begonnen we rustig te zingen. Zondagsschoolliedjes, waar iedereen troost uit putte. Waar we naar toe gebracht werden en wat ons verder te wachten stond, daarvan hadden we geen flauwe notie. Al wat we wisten was, dat we naar een concentratiekamp getransporteerd werden, waar al honder-

den vrouwen en kinderen uit alle steden en dorpen van de westkust opgesloten zaten. We wisten niet beter, dan dat onze mannen, vaders en broers nu voorgoed van ons gescheiden waren, omdat zij naar het mannenkamp gingen.
Hoe groot was onze verbazing dus, toen we uren later op het station in Padang uitstapten en daar opgewacht werden door Jan en een paar zonen van de weduwnaar, die ook bij ons gewoond hadden. Zij waren vergezeld door gewapende agenten en de jonge tolk, Bakri. Er werd ons kortaf te kennen gegeven, dat er voor ons in het grote interneringskamp geen plaats meer was. Dus zouden we naar een speciale woning gebracht worden, waar wij met nog andere gezinnen huisinternering zouden moeten ondergaan.
Het was al donker toen we bij het bewuste huis aankwamen, lopend van het station. Totaal uitgeput en hongerig, want we hadden de hele dag nog niets te eten gehad. De blijdschap echter om de mannen en jongens weer te zien en samen met hen in dat huis te mogen wonen, overheerste alle andere gevoelens.
De Japanse politiecommandant, die ons vertrek uit Fort de Kock geregeld had, wachtte ons hier ook weer op. Met behulp van de tolk verduidelijkte hij ons op barse toon, dat we vooral geen verbeelding moesten hebben: we waren doodgewone gevangenen, al waren we dan niet in het grote kamp ondergebracht. Dit was huisinternering. Dat moesten we goed beseffen. Er waren geen privileges. We mochten ons beslist zonder toestemming van de officier of commandant niet op straat begeven en geen bezoek ontvangen. Ja, zelfs kooplieden mochten niet op ons erf komen. Twee van de jongens werden aangewezen om dagelijks boodschappen te doen voor allen die hier bijeen waren.
Het was een groot huis met ruime kamers, en verschrikkelijk leeg. Er was geen meubelstuk en geen stukje huisraad, behalve wat wij zelf hadden meegebracht.
Van een oude deur, die op een hoop brandhout in de achtertuin lag, werd direct een opklaptafel gemaakt. Mijn vader kon gelukkig contact maken met iemand, die achter de omheining van onze tuin liep, en kon via deze persoon o.a. aan een zinkschaar komen. Er stonden achter in de tuin nl. ook verschillende zinkplaten opgeslagen. Daar knipte en vouwde

hij bakjes van, zodat we weer over kookgerei beschikten, want alle potten en pannen waren bij ons vertrek uit Fort de Kock achtergebleven. Er was ons toen verboden iets daarvan mee te nemen, dat was volkomen overbodig werd er gezegd, omdat er in de kampen toch niet individueel gekookt zou worden. Je er nu aan ergeren of over lopen op te winden had geen zin, dus improviseerden we van alles. Van nieuwe houten klompjes (een soort houten sandaaltjes eigenlijk) sneden we opscheplepels. Op het erf stonden een paar klapperbomen. Van de oude bladeren verzamelden we de nerven, die we tot bezems samenbundelden (sapoe lidi's). Daarmee veegden we huis en tuin schoon en maakten we jacht op vliegen en muskieten. Van de lintvormige bladerrepen probeerden we mandjes te vlechten.
Een wat ouder echtpaar, ex-hotelhouders, die ook in deze woning waren ondergebracht, bezaten nog wel eigen potten en pannen. Er was in hun kamer ook een grote zware koffer vol met blikjes voedsel, aardappelen, groenten en vlees. Daar werd heel zuinig mee gedaan, want meneer had nooit geleerd de rijsttafel te waarderen en gebruikte tot dan toe nog Europese maaltijden. Terwijl wij al blij waren als er voor ons genoeg rijst met vis en een of andere groente met wat sambal was, kookte mevrouw in een aparte keuken aardappelen met doperwtjes of snijboontjes met corned beef of ander vlees uit blik. En ze moet nachtmerries gehad hebben over het moment, waarop haar voorraad uitgeput zou zijn en ze haar man ook rijst zou moeten voorzetten.
De dagen regen zich aaneen. Behalve de kokerij en de paar stukken kleding, die we bij de waterput onder de klapperbomen wasten, hadden we niet veel meer te doen. Bij gebrek aan stoelen zaten we plat op de grond op de kale vloer. Er was niets te lezen, behalve als goedgezinde buren ongemerkt lectuur neerlegden bij het muurtje langs de straatkant. Dan waren we de koning te rijk. Zo lag er ook eens een stapel oude radiobodes, waar we eerst teleurgesteld mee waren, totdat we er een feuilleton + kruiswoordraadsels in vonden. Die werden toen weer gespeld en hielpen ons aardig de tijd door.
Verder hadden we er ook nogal een karwei aan om de rijst, die de jongens op de pasar kochten, van het kaf te ontdoen.

Ze was slecht schoon gemaakt. Er zaten ook beestjes in. Op het laatst zag je haast scheel van het te geconcentreerd turen op die rijstkorrels.
Soms passeerde er iemand langs het pad buiten onze tuinomheining. Dan werden er wat woorden gewisseld. Soms een briefje overgegooid van of voor een bekende.
Hoewel de Japanners het naderhand toelieten, dat groente- en fruitverkopers op ons erf kwamen, werd er niet veel gebruik van gemaakt. Wie de moed had om deze gestrafte blanda's zijn waar aan te bieden, deed het schuw en schichtig, alsof hij geloofde, dat hier moeilijkheden uit voort zouden vloeien. Ze kenden zo zoetjes aan de onredelijkheid en tegenstrijdigheden van de bezetters wel.

Op deze wijze gingen er weken voorbij. Op gezette tijden verraste de Japanse commandant ons met inspecties. En hij had telkens zichtbaar plezier in de manier, waarop wij behuisd waren en ons nochtans wisten te behelpen. Zo kwam hij eens in een heel goeie bui bij ons inspecteren en gaf onverwachts toestemming aan mijn vader en twee andere gezinshoofden om naar Fort de Kock terug te gaan om te proberen onze inboedel die daar achtergebleven was, van de hand te doen of er van mee te nemen, wat we wensten te behouden. Dat gebeurde ook. Maar het kostte de heren wel ongelooflijk veel moeite, want alles was al uit de huizen gesleept en naar een opslagruimte gebracht, waar ook reeds de bezittingen van vele anderen dwars door elkaar op een hoop gesmeten waren. De verkoop van deze zaken ging derhalve allesbehalve eenvoudig. Ten eerste moest je min of meer kunnen bewijzen, of hen er van kunnen overtuigen, dat een stuk dat je te koop aanbood ook werkelijk van jou was. En dan moest je maar genoegen nemen met elke willekeurige prijs die de Japanner noemde, anders kreeg je er helemaal niets voor en was je kans verkeken. Doodmoe, vernederd en teleurgesteld kwamen de heren aan het eind van die dag terug. Toch was er dankbaarheid over terug ontvangen goederen en persoonlijke dingetjes.
Vóór in de tuin stond een koepel, die schaduw bood. Daar vonden vele goede gesprekken plaats tussen de gezinsleden en huisgenoten onderling. Aan de rechterkant van het huis

stond nog de heuvel van een dichtgegooide schuilkelder. Links en rechts daarvan stonden een reusachtige kruidnagel- en een melindjau-boom (een eikelvormige vrucht die, plat-geslagen, de heerlijke emping melindjau oplevert). In het lome middaguur zaten we dikwijls boven op die heuvel in de schaduw van beide bomen, de frisse zeewind langs ons hoofd. Kauwend op de pittige kruidnagelblaadjes of -takjes, dromend van normale tijden, hopend op de vrede. De melindjauboom verschafte ons fijne groenten. Van de jonge bloempjes en vruchtjes maakten we overheerlijke sajoer asem. En ofschoon de rijpe vruchtjes daarin ook lekker zijn, hielden we ze apart als snoepjes.
Van de heuvel af had je het uitzicht op een uitgestrekte aloon-aloon, een groot grasveld, dat de Japanners wel als exercitieterrein gebruikten. Maar dan zorgden we wel bijtijds in huis te zijn. Heel vroeg 's ochtends stond op een van de hoeken van die aloon-aloon meestal een pisanggoreng-verkoopster. Onder een salamboom (salambladeren worden als laurierbladeren gebruikt) maakte ze haar vuurtje en als de eerste marktlieden 's morgens op weg gingen naar de pasar, ontbeten ze bij haar met een warme pisanggoreng. Na verloop van tijd maakten wij er ook een gewoonte van snel bij haar ons ontbijt in te slaan. Brood was al lang niet meer te krijgen. Gebakken bananen waren goede plaatsvervangers daarvan. Het bananenvrouwtje had nogal met ons te doen, en meer dan eens stopte ze een extra pisang bij onze bestelde porties.
'Toekoei buat sinjo dan nonnie-nonnie,' mompelde ze dan achter haar sirihpruim. En wij waren maar wat blij met haar toegift.

Van de ene op de andere dag kwam ineens het bevel, dat de jongens niet meer op straat toegelaten zouden worden. Dat hield in, dat de vrouwen en meisjes nu de boodschappen moesten doen. Toen daarbij uitdrukkelijk werd vermeld, dat we ook gerust strandwandelingen mochten maken vertrouwden we dit alles beslist niet.

Toen Dé en Una op een dag voor de suikerdistributie gingen, passeerden zij de aloon-aloon, terwijl er een legertje Ja-

panners aangetreden stond. Een der soldaten kwam iets te laat en wilde zich er zwijgend tussen voegen. Doch hij werd naar voren geroepen en voor hun ogen neergeslagen, waarbij hij ongelukkig kwam te vallen met zijn hoofd tegen de cementen slootrand. Terwijl hij versuft bleef liggen werd er door zijn sergeant of kapitein onophoudelijk tegen zijn hoofd geschopt, en waar hij hem maar raken kon.
Met wit vertrokken gezichten kwamen Dé en Una thuis. Als ze al zó wreed tegen hun eigen mensen waren, wat hadden wij, als verslagen en bezette vijanden dan niet van hen te duchten?

In deze weken doken er telkens verhalen op over mensen, die op geheimzinnige manier verdwenen. Die niet terugkwamen van boodschappen doen of van een bezoekje, dat ze in de buurt zouden afleggen. Ook brak toen een periode aan van nachtelijke invallen. Een groepje inlanders onder aanvoering van een Japans soldaat verschafte zich overdag toegang tot een woning, haalden daar alles over hoop, verdwenen weer, om dan 's nachts terug te komen en iemand van de bewoners te gelasten met hen mee te gaan, zonder diegene de kans te geven zich behoorlijk aan te kleden.
Zo waren ze ook een paar keer in onze woning geweest, hadden alle koffers en bezittingen door elkaar gegooid en namen tenslotte de ex-hotelhouder zo in z'n nachtgoed zonder enige opgaaf van redenen met zich mee. We hebben nooit meer iets van hem gehoord.
Tegen die tijd hadden we al weer enkele malen bezoek gehad van andere gezinnen die nog buiten de kampen verbleven. Ook hen waren wat beperkingen opgelegd, maar niet zo nadrukkelijk als bij ons. Onze hardnekkigste bezoeker in die dagen was Kaspar, een kennis van mijn vader, die door zijn Zwitserse nationaliteit vrij rond mocht blijven lopen. Hoewel hij oorspronkelijk kwam om met Paps te praten, kreeg het doel van zijn bezoeken een totaal ander karakter nadat hij onze lieve Dé leerde kennen. Hij heeft alles op alles gezet om zo spoedig mogelijk te kunnen trouwen, zodat Dé als zijn vrouw niet meer de kans liep om geïnterneerd te worden. Toch hing er een waas van bedruktheid over deze romance, je kon in die dagen nou eenmaal niet voor 100% ge-

lukkig zijn, omdat je nergens zeker van was. Ze kregen bij het in orde maken van hun papieren in het begin zoveel tegenwerking, dat Kaspar op een gegeven moment het Zwitsers kentekenbewijs van zijn jas losspelde en het op tafel voor de Japanner neerlegde. 'Dit heeft op deze manier geen enkele zin, merk ik. U behandelt mij toch als een overwonnen vijand. Ik zal de Zwitserse ambassade er van op de hoogte moeten stellen, vrees ik.' Daarna ging alles opeens van een leien dakje, en zouden ze binnen een maand kunnen trouwen.
Maar in die maand gebeurde er van alles, zodat er niemand van ons bij het huwelijk aanwezig kon zijn.

In juni 1943 maakten we nog iets angstigs mee, waar de bezetters niets mee te maken hadden: aardschokken. Naderhand hoorden we dat dit eigenlijk zeebevingen waren. Ze hielden ettelijke dagen met tussenpozen aan. Soms slechts een lichte trilling, soms heftiger, waarbij ook muren instortten.
Ik had de kookbeurt en had juist een pan water op het vuur gezet, toen er opeens een verschrikkelijk geraas om mij heen was. Het leek of er een geweldige storm opstak. Ik moest me vasthouden om niet te vallen, want ineens bewoog de vloer. Potten en pannen vlogen in het rond. Het water uit de pan, die op het vuur stond, klotste tegen het plafond. Ik rende naar buiten, zag mijn vader zigzaggend aan komen fietsen op een geleende fiets en van verre roepend: 'Weg van het huis! Van het huis vandaan!' Tegelijkertijd zag ik Eddy met zijn gewonde enkel juist terugstrompelen de trap op en het huis in, dat in z'n voegen kraakte en heen en weer deinde. 'De poes is nog binnen,' was zijn argument. We hadden de honden in Fort de Kock bij Malintang moeten achterlaten, maar hadden inmiddels al weer een zwerfkatje in de familiekring opgenomen. Inderdaad kwam Ed met het diertje op de arm weer naar buiten geslingerd.
De baby Mary-Joan zat in een kleine Chinese box op wieltjes. Ik zag hoe ze ging rijden, de tuin in, haar moeder kruipend er achteraan. Heen en weer. De grond ribbelde in golvende bewegingen. De aardoppervlakte werd in plooien gelegd als bij een lap stof, die je inrimpelde. Dan werd ze weer

glad gestreken. Dat alles onder een vreemd geruis en een ver gerommel. Een paar krachtige schokken achter elkaar. Dan viel een plotselinge stilte. Onbetrouwbaar. Weer een paar lichte trillingen met het suizen van de wind mee. Daarna werd alles weer rustig. Wij herademden. Toch herhaalden de trillingen zich verschillende malen.
We gingen gekleed slapen, allemaal in de grote voorgalerij om bij het minste gekraak of gerommel weg te kunnen springen de tuin in, voor het geval de muren het niet zouden houden. Gelukkig was dit huis, zoals vele huizen in die streken, slechts van beneden van steen en de rest van hout, zodat er meestal alleen maar gekraak te horen was zonder dat er iets instortte.
Later hoorden we, dat in het kamp paniek was ontstaan tijdens de aardbeving. Ze voelden zich als ratten in de val achter de zes meter hoge schutting. Ze zaten met zo'n 1200 mensen in een kerk met klooster en scholencomplex opgesloten. Daar vielen toen een gewonde en een dode, een non, die onder een invallend schuurtje bedolven werd, en een geestelijk gehandicapt kind, waarvan het hartje tijdens de grootste schok gewoon ophield met kloppen.
Langzaam aan werden wij weer rustiger, maar nog vele jaren later zouden sommigen van ons bij het gedreun van zware motoren als in een reflex ramen en deuren opengooien, zoals je meteen handelde bij een vermoedelijke aardbeving, opdat ze niet zouden gaan klemmen en je weg tot ontsnapping versperd zou kunnen raken.
Kort na de roerselen van deze natuurvijand werden we weer uitdrukkelijk bepaald bij die andere vijand, die ons overheerste. Op een middag kwam een Japans soldaat bij ons met een formulier, dat we voor gezien moesten tekenen. Daarin stond de opdracht, dat alle jonge meisjes uit ons huis zich de volgende dag op een bepaalde tijd op het politiebureau moesten melden. De Japanse hoofdcommandant van politie zou ons dan toespreken.
Wat waren ze met ons van plan?
We kwamen de volgende dag op de afgesproken tijd op het politiebureau, een vijftigtal jonge meisjes, die tot zolang buiten het kamp waren gebleven. We werden in twee groepen verdeeld. Aan de ene groep werd gezegd: 'Morgen ko-

men jullie samen in het M.V.-gebouw (Maria Verenigingsgebouw). Zorg dat je je kleren en beddegoed bij je hebt. En laat ons niet wachten. We willen zo snel mogelijk vertrekken naar de plek van jullie bestemming. Nu kun je gaan. De andere groep meisjes vertrekt de volgende week. En nu geen vragen meer! Wat gaat het jullie aan waarheen wij je sturen? Jullie krijgen werk en daarvoor word je betaald. Mooier kan het niet. Eens per maand mag je naar huis schrijven. En verdwijn nu. Ga je boeltje pakken en zorg, dat je er morgenochtend op tijd bent!'
Dat was alles.
Paps wilde nog proberen om meer inlichtingen te krijgen, maar werd bedreigd. Ze weigerden botweg ons mee te delen waarheen we gestuurd zouden worden of waaruit het werk zou bestaan. Het was een grote gunst dat Nippon ons uitgekozen had om voor hen te mogen werken, dus moesten we ons niet ondankbaar tonen, anders zouden ze ons eens wat laten zien.
Vol angstige gevoelens gingen we weer naar huis, waar Mammie in spanning ons opwachtte, want onze pleegbroer Jan was inmiddels ook opgepakt en nog niet teruggekeerd. Die nacht werd er weinig geslapen. De volgende dag kwamen niet alleen de uitgezochte meisjes bij de afgesproken plaats, maar alle families waartoe zij hoorden en zelfs alleenstaande dames en andere sympathisanten waren bijeen gekomen. Vastbesloten en eenstemmig werd overeen gekomen te weigeren om de meisjes te laten gaan. Het ging immers tegen alle internationale wetten en begrippen in, om jonge meisjes tegen hun zin en die van hun ouders, weg te voeren naar een onbekend adres en een onzekere toekomst. Er kon van alles met ons gebeuren. We weigerden dus pertinent en hielden halsstarrig vol, dat we niet wensten te gaan. De Japanners waren verbluft en wisten aanvankelijk niet goed wat ze met die groep koppige Nederlandse onderdanen moesten beginnen. Hun bevel 'Moesti pigi – jullie moeten gaan!' botste tegen ons muursterke 'Tida mau – we willen niet!' Tenslotte trokken ze zich onverrichterzake terug.
Zodra hun laatste jeep van het schoolerf verdween braken onze reacties los. Uitbundigheid vermengd met angst en twijfel. Deze keer hadden wij hen overtroefd. Maar we voel-

den, dat het slechts uitstel was. Ze zouden terugkeren. En natuurlijk zouden ze ons toch dwingen te doen wat zij eisten. Die nacht bleven alle gezinnen in dat schoolgebouw, dat tegenover het complex van het vrouwenkamp lag. Alle lokalen, ruimten en gangen werden verdeeld: matrassen op de grond en tussen de gezinnen telkens een gordijn of laken voor wat privacy.
Er werd gezamenlijk gekookt, op de kinderen gepast, de was gedaan, de kamers schoon gehouden en in de avonduren klonk ons twee- of driestemmig gezang.
Toen kwam de volgende ochtend het officiële bevel tot internering van alle mannen en jongens boven de achttien jaar. 14 Juli 1943. Onvergetelijke datum. 'God zegene jullie,' waren de laatste woorden, waarmee Pappie afscheid van ons nam. Woorden met een levenslange echo...
Ze werden op trucks geladen en naar de boei (gevangenis) weggevoerd, dat het interneringskamp voor de mannen was geworden. Er was geen tijd om te huilen of je aan droevige gedachten over te geven, want de Japanse commandant kwam met zijn adjudanten, hun tolk en inlandse hulpagenten direct terug naar ons gebouw, zodra de mannen weggebracht waren, zeker als ze waren dat de vrouwen en meisjes, weerloos zonder de bescherming van de mannen, zich nu zonder slag of stoot aan hen zouden overgeven en gedwee laten wegvoeren. Ze rekenden echter volkomen buiten de waard. Onze weigering bleef. En we maakten hen duidelijk, dat we liever allen tesamen geïnterneerd wilden worden, dan privé voor de Jap te werken. Maar internering kwam voor ons niet in aanmerking. Ze hadden immers meisjes nodig. En, zoals we later hoorden, ze hadden in het kamp, toen ze ook daar meisjes kwamen ronselen, flink de kous op de kop gekregen.
Onder de bezielende leiding van mejuffrouw Huijsmans en mevrouw Versteegh bleven wij meisjes ook nu rotsvast bij onze weigering. Nu gingen ze geweld gebruiken. Ze duwden en trokken ons in de richting van de vrachtauto's.
'Vecht voor jezelf, meisjes. We staan in ons recht. Je hoeft niet te gaan als je niet wilt,' herhaalden de dames. We worstelden ons telkens los, verstopten ons door het hele gebouw.

Toen werden de beide dames, die ons tot zo'n steun waren, op het politiebureau ontboden, om zogenaamd uitleg te geven van onze weigering. Ze kwamen pas enkele dagen later terug.
De zachtste moeder veranderde in een tijgerin om het behoud van haar kind. Ik zie nog mijn lieve moeder met haar houten klomp de Japanse handen wegslaan, die naar haar dochters grepen. En de ongeloofwaardige uitdrukking van één van die soldaten, die daarop voor haar in de houding ging staan en salueerde.
Toen ze zagen dat geweld ook niet vlot hielp, deden ze ons allerlei prachtige beloften en spiegelden ons voor hoe prettig het werk in de theehuizen zou zijn, hoe heerlijk het voedsel, de goede betaling, en wat voor gunsten we al niet meer zouden ontvangen. Ons neen bleef echter neen. Toen dropen ze weer af, om versterking te halen.
Met een gewapend leger van Japanse soldaten en inlandse agenten kwamen ze terug. Schreeuwend en vloekend om te intimideren, stompend en om zich heen slaand kwamen ze op ons af. Na een emotievolle dag, vol angst, en doodmoe geworden, bezweken sommige meisjes. Hun wil was gebroken. Ze zagen geen uitweg meer en konden tenslotte lichamelijk de kracht niet meer opbrengen om bij de vrachtauto's vandaan te blijven. Ze werden steeds meer in die richting gedreven en er toen ingesleurd. Kan men dit vrijwilligheid noemen? Ze werden dadelijk weggevoerd door de Japanse commandant Shigubayashi, die we Bleke Bet noemden; dezelfde man, die ons uit Fort de Kock weggestuurd had. Hij had angstaanjagende, kille ogen en een wrede mond, bijna zonder lippen.
De strijd in het M.V.-gebouw ging echter nog door. Het ging nog maar om een paar meisjes, die bleven volhouden. Drie van ons hadden zich nog telkens weten los te rukken en te verstoppen. Eindelijk vonden ze ons toch en probeerden ons naar de hal van de school te sleuren.
Het was toen, dat ik ineens de macht over mijn linkerarm verloor. Er zat opeens geen gevoel meer in, loodzwaar was hij. Ik kon 'm niet eens optillen. De angst had me letterlijk verlamd. Hoe moest ik me nu verweren? Ze trokken me aan m'n rechterarm voort.

Ineens was het belangrijkste voor me die arm, waar ik niets mee kon doen. Nu kreeg ik het benauwd van de angst. Ik piepte en hijgde, hapte naar adem en dacht intens: 'Mijn arm! Ik moet mijn arm kunnen gebruiken!' Het werd een gebed, dat verhoord werd. Toen we in de hal kwamen, voordat we de stoep afgingen in de richting van de wachtende auto, kreeg ik het gevoel in mijn arm weer terug en kon ik me aan een paal vasthouden en terugkrabbelen. Maar m'n benauwdheid bleef, en daar was ik toch dankbaar voor, want die acute aanval van astmatische bronchitis maakte, dat mijn naam in afschuw van de lijst geschrapt werd. Als de dood waren ze voor longaandoeningen of wat daar op leek. Ik zag hoe mijn zus Gerda tussen een paar agenten voortgesleept werd. Ze probeerde vergeefs zich los te worstelen. Moeders vielen flauw. Zusjes huilden.
Prullie, het andere meisje, schetterde aan één stuk door, luid en zonder ophouden een woordenstroom loslatend, waar niemand van terug had; scheldend, schreeuwend, beschuldigend, maar nooit smekend. Toen lieten ze haar onverwachts los en ook haar naam werd geschrapt.
Nu ging het alleen nog om Gerda. Hoe we ook al probeerden uit te leggen, dat we haar thuis niet konden missen, men luisterde naar geen reden en wilde haar beslist mee hebben. Onverwachts trok Gerda zich los en ging recht voor hen staan. Ze wees naar de geweren, die de soldaten droegen en hoonde: 'Wat een dappere kerels zijn jullie om met touwen en geweren een stel weerloze vrouwen te komen vangen. Maar waarom schieten jullie dan niet? Ajo, tembak! Apa takoet? Tida branie? Schiet dan. Zijn jullie soms bang? Durf je niet? Als jullie ons niet wilt interneren, dan laat ik me liever hier als een hond neerschieten, dan dat ik vrijwillig met die Japanse soldaten meega. Onthou dat!'
Toen volgde nog een soort touwtrekkerij om Gerda. Wij hielden haar bij haar ene hand vast, de agenten trokken aan de andere. Ineens lieten ze haar los. Ze zeiden, dat het hun wenselijk leek dat we op het politiebureau aan de hoogste officier kwamen uitleggen waarom we Gerda niet wilden afstaan om te gaan werken. Dat moest dan maar gebeuren.
Die hoogste officier was echter, zoals we daar uitvonden, dezelfde commandant Shigubayashi, die juist verantwoor-

delijk was voor het ronselen van meisjes. Van hem hadden we dus niets te verwachten, niet het geringste begrip.
We gingen er met ons vijven heen, Mammie en haar vier dochters. Ze lieten ons de hele dag in het politiebureau in een klein, smerig vertrek wachten, alweer zonder eten of drinken, totdat het meneer de commandant beliefde ons te woord te staan.
Dit gebeurde aan het einde van die dag. Ze vonden het onbegrijpelijk, dat wij zo star weigerden om iemand van ons te laten werken. Werken was gezond en het was een hele eer, dat zij werk voor ons hadden. Wij zeiden, dat wij voor die eer bedankten, en dat we liever allemaal tegelijk geïnterneerd wilden worden, dan één van ons af te staan voor een onzekere werkkring, wie weet waar. Het antwoord was: 'We kunnen geen regelingen treffen om alleen jullie te interneren. Breng nog wat andere mensen mee, die ook naar het kamp willen. Dan zullen we dit overwegen.'
Boven verwachting lieten ze ons toen naar huis gaan. Dat wil zeggen naar het M.V.-gebouw.
De andere gezinnen, waarmee we gingen praten, voelden zich echter zo verpletterd, omdat hun dochters inmiddels weggevoerd waren, dat ze nu beslist niet geïnterneerd wilden worden.
'Als we buiten het kamp blijven bestaat er nog een kans, dat we iets van onze dochters horen. Daar binnen vast niet.'
Dat was begrijpelijk.
Met een bekommerd hart meldden wij vijven ons de volgende dag weer op het politiebureau. De commandant ging vreselijk tegen ons te keer, toen we uitlegden, dat we geen lijst met namen voor internering hadden. Hij noemde ons oproerkraaiers en bedriegers en zei, dat we al herhaaldelijk in verzet gekomen waren tegen de Japanse overheid. Hoe we ook trachtten uit te leggen, dat dat niet onze bedoeling was geweest en dat hij dat niet zo moest zien, we konden onze zaak niet bepleiten of verdedigen. Wij spraken geen Japans, hij geen Engels en de inlandse tolk scheen onze woorden nog te verdraaien ook, of wist er zelf geen raad mee.
Toen werd het vonnis over ons geveld. Wijdbeens achter zijn bureau stond de commandant, er volkomen zeker van dat hij ons nu op de knieën zou krijgen. Met een sadistische

voldoening in zijn ogen en om zijn mond, deelde hij ons zijn besluit mee, dat ijverig vertolkt werd: 'Jullie hebben meerdere malen de Nippon-wetten en -regelementen gedwarsboomd. Dat eist de doodstraf. Jullie hebben gezegd, dat je liever alle vijf tegelijk dood wilt zijn in plaats van één van jullie af te staan. Dan zijn jullie zeker niet bang om te sterven. Branie mati?'
Instinctief vouwde Mammie haar handen en zei: 'Als het Gods wil is, dat we zullen sterven, dan zullen we ook sterven.' Waarop Shigubayashi ons woedend toesnauwde: 'Hier heeft God niets mee te maken. Dit is een zaak van Nippon!'
Hij legde ons een papier en een losgeschroefde vulpen voor en dicteerde met barse stem, waarin de tolk hem probeerde te evenaren, wat Mammie moest opschrijven. Dit was ons doodvonnis, dat elk van ons moest ondertekenen. Een onwezenlijk moment.
We voelden zo duidelijk, dat er een kracht in ons was, die niet van ons zelf kon zijn. Zonder blikken of blozen hebben wij, de een na de ander, beheerst en kalm het stuk ondertekend, waarmee we verklaarden in te stemmen met het vonnis, dat wij vijven wegens onhandelbaarheid tegen Nippon gedood zouden worden.
'Tapi ini salah,' zei Mammie nog tegen de tolk. 'Dit is verkeerd.' Maar hij vertolkte niet meer.
'Zo,' zei de Japanner daarna, 'nou wachten jullie daarginds bij het aangrenzende schoolgebouw totdat ik kom en jullie meeneem naar een geschikte plek voor de voltrekking van het vonnis.' Zonder begeleiding moesten wij naar het genoemde gebouw gaan, dat een paar minuten lopen verder lag.
We zijn die school ingegaan, die leeg was op een enkel lokaal na, waar een Indonesiër schrijfwerk verrichtte. In de open galerij langs de klassen hebben we de hele dag op een bank zitten wachten. Eerst was er een ochtendbriesje, dat ons vertroostend over het hoofd streelde. Maar naar gelang de uren verstreken werd de hitte steeds ondragelijker.
De gedachten, die ons ondertussen bezighielden waren glashelder. Hoe zou dat vonnis voltrokken worden? We hoopten maar, dat het een schot zou zijn. En geen martelingen vooraf. Hoe was het mogelijk dat je moest sterven omdat je

weigerde om je dochter, je zuster, jezelf over te geven aan de genade van de Japanse soldaat? Uur na uur wachten op onze terechtstelling was op zich al een marteling. Soms spraken we met elkaar. Soms zongen we spontaan: Blijf bij ons, Heer, haast daalt de donkere nacht. De Heer is mijn herder. Boven de starren daar zal het eens lichten... De meeste gedachten waren gebeden om ons klaar te maken om te sterven, zoals van een christen verwacht mocht worden. Dat we tot het eind de kracht mochten ontvangen om sterk te kunnen blijven en de vijand te laten zien, dat we niet bang waren voor de dood. En een bede om Pappie en Eddy bij te staan wannneer zij deze slag te verwerken kregen, en dat zij toch maar niet ook voor ons gestraft zouden worden, zoals zo dikwijls een hele familie werd gestraft om een kwestie die één van hen betrof.
De folterende spanning, de honger en de hitte putten ons langzaam uit. Het was reeds laat in de middag toen Mammie ineens bewusteloos begon te raken. Toen besloten we om maar naar huis te gaan. Als ze dan toch het vonnis wilden voltrekken, konden ze ons even goed daarginds ophalen. Een paar van ons zijn nog even langs het lokaal met de schrijvende Indonesiër gegaan, aan de overkant van het schoolplein. We hebben gezegd, dat onze moeder ziek geworden was en of hij wilde getuigen als ze ons hier zochten, dat we inderdaad tot het uiterste gewacht hadden, maar dat we nu naar huis gingen. Daar moesten ze ons dan maar afhalen. Hij zei, dat hij niet begrepen had, waarom we hier de hele dag gezeten hadden en schrok zichtbaar, toen we vertelden, dat we op de voltrekking van ons doodvonnis zaten te wachten.
Daarna riep hij een sado voor ons aan en zijn we naar huis gegaan. Toen we in het M.V.-gebouw terug kwamen had Mams heel hoge koorts. Die avond is er nog een inlandse politieagent geweest om zich ervan te overtuigen, dat wij daar inderdaad teruggekeerd waren, maar er gebeurde verder niets. Geen nieuw bevel om te komen. Geen verwijt zelfs, dat we op eigen houtje weggegaan waren. Totaal geen reactie daarop. Nooit hebben we meer iets over die doodsverklaring gehoord. Vermoedelijk hebben zij enkel getracht onze zenuwen kapot te maken. Of waren ze nieuwsgierig om te

zien hoe ver onze koppigheid zou strekken. Misschien hebben ze er ook vermaak in geschept om te zien hoe deze Nederlandse moeder met haar dochters van 14 tot 20 jaar zou reageren als het doodvonnis over hen werd uitgesproken.
Anderhalve maand brachten we met een paar honderd vrouwen en kinderen in spanning in het M.V.-schoolgebouw door. Schuin aan de overkant van de straat konden we de zes meter hoge planken omheining rondom het vrouwenkamp zien.
Later hoorden we, dat de vrouwen van het kamp tijdens onze schermutselingen in het M.V.-gebouw, zich solidair met ons voelend, achter te schutting klaar stonden om ons hoe dan ook te hulp te komen. Zij hadden enkele weken eerder een dergelijk schouwspel binnen hun eigen hekken gehad, en ook daar waren gevechten geleverd.
Soms zagen we de grote poort van het kamp opengaan voor de levensmiddelenkar. Of als er een dode werd uitgedragen. De eersten die daar stierven waren babies. Je kon enkel maar stil vanuit de verte kijken als je de bedroefde moeder alleen achter het kistje zag gaan. Je probeerde te herkennen: wie? Contact kon je nooit maken, de weg naar het kerkhof ging niet langs ons gebouw, maar de andere kant uit.
Ook in ons eigen gebouw hadden we een ernstige zieke. Een jongen van ongeveer 14 jaar. En hij verlangde zo naar zijn vader, die als kapitein van het KNIL bij de overgave door de Japanners krijgsgevangen was gemaakt. Het was aandoenlijk zoals Johnny troost putte uit de aanwezigheid van één van zijn vader's uniformen. Die werd aan de muur gehangen tegenover zijn bed, waar hij de pijnen van een ongeneeslijke ziekte leed. Met een letterlijk hemelse blik keek hij daar dan naar.

Toen we er het minst op rekenden kwam plotseling het bevel, dat we binnen een uur gereed moesten zijn om naar het grote kamp te verhuizen. Zo zouden we dan toch geïnterneerd worden. Maar op hun tijd. Ondanks alles gaf die gedachte toch iets van rust. Het was een veiliger idee om met z'n velen bij elkaar te zijn; we hadden ondertussen immers geleerd dat het leven buiten de kampen ook niet wolkeloos was.

Het gebeurde in september 1943.
Omdat ik met m'n kortademigheid niet zo geschikt was om in de sjouwploeg met de verhuizing te helpen, kreeg ik de taak om op de kleine kinderen te passen. Nadat we de weg overgestoken en de kamppoort door waren, verzamelde ik de kleuters om me heen en hield hen bezig, terwijl hun moeders nu de handen vrij hadden om een plekje uit te zoeken waar ze zich konden installeren. Om hen in deze rommelige uren in de voor hen vreemde omgeving, zonder hun moeder in de buurt, wat op hun gemak te stellen, ben ik liedjes met hen gaan zingen en heb verhaaltjes zitten vertellen, tot de moeders hen één voor één kwamen ophalen. Mijn stem werd hoe langer hoe heser, maar het waren zulke lieverdjes, die luisterden zelfs naar een gefluisterd sprookje. Een oude kampbewoonster met schitterend zilverwit haar, die naar ons had zitten kijken, kwam een praatje bij me maken. Ik heb veel steun gehad aan haar complimentje, ook later, als ik me onmachtig voelde om iets nuttigs te kunnen doen: 'Wat een rust voor die moeders, dat jij op deze kleintjes wilde passen; ik zal altijd onthouden hoe lief je voor hen was.' Maar dat was helemaal geen kunst met de kleine Smitjes, de Bouwertjes, de Friedmannetjes, en de andere peuters. Maanden later heeft de dochter van deze zelfde dame mij in wat andere bewoordingen ook een pluim willen geven, maar dáár heb ik wel degelijk slapeloze nachten van gehad, en sterk gebeden voor haar gezondheid. Ze zei namelijk: 'Ik zou hier rustig kunnen sterven als ik wist, dat jij m'n kinderen onder je hoede nam.' Ze had er vijf of zes...
Bij onze binnenkomst in het vrouwenkamp waren er ook heel ontroerende ontmoetingen. Families en vrienden die elkaar een jaar lang niet gezien hadden, ontmoetten elkaar hier weer.
Naast warme blijdschap was er dikwijls een tragische confrontatie met de ellende, die sedert dat eerste jaar reeds een stempel gedrukt had. Een onbekende dame vloog Gerda ineens om de hals. 'Kind, kind, ben je daar eindelijk!' Ze wou eerst niet aannemen, dat Gerda haar dochter niet was.
'Je lijkt zó op Helmy,' zei ze onthutst en heel teleurgesteld.
'Helmy? Bent U de moeder van Helmy? Maar die ken ik; zij is ook juist gearriveerd,' wist Gerda haar weer moed in te

spreken. 'Met haar dochtertje Mary-Joan. We hebben buiten tijdelijk bij elkaar gewoond. Ik zal U wel helpen zoeken.'
Ook ik had in die eerste uren een pijnlijk ontmoeting. Een magere vrouw kwam wankelend naar me toe en greep mijn arm.
'Hoe gaat het met mijn man?' vroeg ze gretig, en ik wist op geen stukken na wie ik voor me had. Tot ik het meisje herkende, dat iets achter haar stond. De moeder glimlachte begrijpend: een intriest lachje.
'Je herkende me niet, hè? Weet je niets van mijn man? Hebben jullie hem ooit nog gezien?'
Verbijsterd herkende ik in haar de voormalige meest gezonde vrouw van Fort de Kock. Haar gezondheids-methodes waren een ieder bekend. Zij propageerde rauwkost en rode zilvervliesrijst; deed alles om fit te blijven, was enorm sportief en zwom dagelijks haar rondjes in het zwembad, zelfs totdat ze acht maanden zwanger was. Zij was altijd het prototype van Hollands welvaren. We waren jarenlang bijna buren geweest en nu was ze onherkenbaar voor me. Zij was een voorbeeld van de moeders, die zich letterlijk het eten uit de mond gespaard hebben terwille van hun kinderen. Zij gingen er onherroepelijk onderdoor.
Toen deze moeder enkele weken later stierf heeft een jonge Ambonese vrouw zich spontaan over de drie kinderen ontfermd en ze op de meest bewonderenswaardige manier de rest van de kamptijd er door gesleept. Corrie Rikumahu heeft wel een ere-saluut verdiend!
Toen onze groep van 317 vrouwen en kinderen aan het grote kamp werd toegevoegd, zaten er in dat complex (missieterrein: kerk, klooster, scholen) reeds 1283 mensen. (Deze gegevens heb ik uit de verslagen van het hoofdbestuur. De aanhalingstekens in het vervolg geven letterlijke citaten uit de verslagen aan.)
'Die waren op 7 april 1942, drie weken nadat de Japanners binnengetrokken waren, hier ondergebracht. Terwijl de mannen naar de gevangenis werden gevoerd.
Eerst had men de schoollokalen ingedeeld voor zo'n 10 tot 15 mensen. Naarmate er steeds meer transporten aankwamen werd alles steeds voller en moest men ook in de kerk

zelf bivakkeren. Er werd centraal gekookt, zodat de vrouwen tijd kregen voor allerlei andere noodzakelijke bezigheden. Het kamp zag er dan ook doorgaans netjes uit.
Na de aardbeving vertoonden de vele muren en de kerktoren grote scheuren. Dakpannen waren weggeslingerd, en een groentenloods ingestort. Direct na de beving was Nippon de schade komen opnemen en had beloofd een en ander te doen herstellen, hetgeen echter nooit gebeurd is. Sindsdien kwam het voor, dat enkele scholen na zware regens gedeeltelijk onder water stonden. Zo goed en zo kwaad als het ging heeft men geprobeerd zelf maar de daken te repareren. Dat hielp natuurlijk niet afdoende. Bij elke zware bui moesten velen telkens ergens anders ondergebracht worden.
De verlichting in dit kamp was eerst zeer goed. Overal in de lokalen en zelfs op de galerijen was electrisch licht aangebracht, meestal nog met peren uit eigen voorraad. Nu kon men ook 's avonds nog werken. Een der strafmaatregelen van de Japanners was dan ook het verbod om 's avonds licht te branden.
Aanvulling van verlichtingsmateriaal werd vaak gevraagd, doch nimmer gekregen, zodat op den duur de verlichting wel slechter werd. Ook ontstonden veel moeilijkheden door kortsluiting of overbelasting door het gebruik van kookapparaten en strijkijzers in de begintijd. Zekeringen sloegen herhaaldelijk door. Zelfs die in de hoofdleiding. En daar de reparaties door de geïnterneerden zelf verricht moesten worden en zij niet over zekeringen beschikten, moest alles met losse koperdraadjes worden hersteld. Tengevolge hiervan stond eenmaal het zinken dak van een der gebouwen met bijbehorende goten onder spanning, wat grote schrik onder de bewoners teweeg bracht.
De watervoorziening was de eerste maanden voldoende. Daarna deden zich moeilijkheden voor, door de aanleg van een fontein buiten het kamp door de Japanners, de steeds verminderde waterdruk, en overbelasting van de leidingen in het kamp door aanleg van badhokjes. De electrische pomp bij het Fraterhuis bleek een grote hulp bij de watervoorziening van verschillende gebouwen. Toen deze onklaar raakte werd de toestand precair en zelfs hachelijk toen ook de bewoners van het M.V.-gebouw hier werden ondergebracht.

Ondanks dringende verzoeken aan Nippon kwam hierin geen verbetering. Om het eindeloos wachten bij de kranen te ontlopen werd door velen 's nachts gewassen en werden emmers en teilen dan al vast gevuld. De slechte watervoorziening werkte nadelig op de algemene gezondheidstoestand. Wat het sanitair betreft: het aantal badkamers was absoluut onvoldoende. Er werden in de loop der tijd enige tientallen bijgebouwd, die evenwel door het grote watergebrek toch niet in de behoefte konden voorzien. De toiletten waren in aantal voldoende, maar aangezien de afvoer alles te wensen overliet gaf dit aanleiding tot verstopping der w.c.'s en overstroming van het terrein. Op de veelvuldige klachten, ook van de zijde der doktoren, kwam de gemeentereinigingsdienst elke paar weken de putten ledigen en werden in de ergste gevallen overlopen aangebracht, die evenwel in open goten uitkwamen, die dwars door het kamp liepen. De veelvuldige verstoppingen maakten het noodzakelijk, dat de geïnterneerden dagelijks w.c.'s en overlopen doorstaken. Voor het schoonhouden van lokalen, badkamers en w.c.'s moest het spoelwater van de was bewaard blijven.
De doorlopend voorkomende wonden en tropische zweren mogen geweten worden aan de door bovenstaande oorzaken volkomen geïnfecteerde grond der terreinen, die bovendien groot gevaar opleverde voor dysenterie en andere besmettelijke ziekten. Ook hierop werd Nippon herhaaldelijk gewezen.
Het vuil werd in bakken verzameld, die aan de straatzijde vóór de hekken geleegd moesten worden, waar de gemeentereinigingsdienst ze zou moeten weghalen, hetgeen echter nooit afdoende gebeurde. Het gevolg hiervan was, dat het vuil zich ophoopte en ook weer besmettingsgevaar opleverde. Na vele klachten hierover werd bepaald, dat het afval niet binnen de poort doch daar buiten moest worden gegooid, wat ook geen verbetering betekende. De toestand bleef dezelfde.'

Wij maakten al dadelijk enkele sterfgevallen mee, nadat we in het kamp waren opgenomen. Eén van hen was onze Johnny.
Geruchten van kampverhuizing bleven hardnekkig rond-

gaan. Waar kwamen ze vandaan? Waarschijnlijk van de agenten of aannemers. Je zou geneigd zijn te geloven, dat de wind ze binnenblies. Zoals de Indonesiër zo treffend zegt: 'Kabar angin.' Er waren altijd al zoveel geruchten geweest, die niet uitgekomen waren. We zouden op reis moeten gaan per trein, of zelfs met de boot werd er gezegd. Wat moest je er nu van geloven?
Doch in de laatste dagen van september gebeurden er dingen die ons weer deden twijfelen aan de onmogelijkheid van een onverwachte reis. Op een dag gonsde het nieuws door het kamp: 'Daar worden mannen uit het mannenkamp in auto's vervoerd!' Deze mannen werden ondergebracht in het M.V.-gebouw, dat door onze groep juist verlaten was en dat nu door de Kempei Tai in gebruik was genomen. Die instantie zou men kunnen vergelijken met de Duitse gestapo. Nóg is het me soms of ik de schrille kreten hoor, die in de stilte van de nacht tot ons overwaaiden. Kreten van niet te dragen pijn en uiterste doodsnood van de wreed gemartelden. En we wisten dat Paps er bij was. Er waren loergaten in de planken schutting van ons kamp gemaakt en er waren mannen herkend. Elke keer als de kreten hoorbaar waren gingen ze vergezeld van een gemurmel van gebeden.
Wij waren met nog vele anderen in een open loods ondergebracht, matras naast matras, lakens of spreien als afscheiding, en we hoorden alles van elkaar: het zuchten, het inhouden van de adem, het snikken, de gebeden, die gepreveld werden. We waren grotendeels vreemden voor elkaar, mensen van totaal verschillende achtergronden en niveaus, maar er was een éénheid tijdens die gebeden, hoe afzonderlijk ook, doch gelijktijdig, terwijl aan de overkant van de straat de martelingen plaatsvonden. Het aanroepen van de hemel bij het zegevieren van de hel.
In die eerste dagen werd, op ons verzoek, toegestaan dat jongens uit ons kamp wat voedsel brachten voor de gestraften aan de overkant. Maar opeens mocht het niet meer. Een paar dagen later werd door de kijkgaten waargenomen dat diezelfde mannen uit het M.V.-gebouw weggehaald werden, geblinddoekt in vrachtauto's werden gesmeten en werden weggevoerd. Niemand wist waarheen.
Eerst na de bevrijding hebben we gehoord wat er van deze

groep mannen en jongens is geworden. Het was precies hetzelfde groepje dat heel in het begin van de Japanse bezetting onverwachts uit het kamp was vrijgelaten. Ruim een jaar hadden ze buiten het kamp gewoond, toen dit allemaal gebeurde: weer geïnterneerd en opnieuw door de Jap er uitgehaald en weggevoerd. Waren zij misschien betrokken bij ondergronds verzet? Niemand heeft er ooit het juiste van geweten. Achteraf is ons bekend geworden, dat op Java in die tijd de broer van mijn vader door de Jap verhoord werd, waarbij ze hem steeds vroegen hen te vertellen waar zijn broer Nico was, want die moesten ze eigenlijk hebben. Mijn oom kon ze alleen maar zeggen, dat Nico op Sumatra woonde tijdens de Japanse inval, en dat het waarschijnlijk leek, dat hij daar geïnterneerd zat, maar er was immers geen contact meer mogelijk, dus meer kon hij ook niet weten. Wij zaten toen met de vraag: wat is toch eigenlijk de reden van hun aparte positie? En wat zal hun straf uiteindelijk zijn? Pas na de bevrijding werd dit groepje weer opgespoord, tenminste de enkele overlevenden ervan, maar ook zij konden ons niets wijzer maken.

Een paar weken later gebeurde er weer iets ongewoons. Op een avond hoorden we drommen mensen voorbij het kamp lopen. En men ontdekte, dat dit de mannen uit het mannenkamp waren, die gepakt en gezakt onder strenge bewaking langs gingen.
'Kampverhuizing,' riepen ze. 'Jullie volgen later.'
'We vertrekken in ploegen.'
Ze mochten eigenlijk niet met ons praten en hun bewakers speelden tegen hen op, zoals onze bewakers in het kamp de nieuwsgierige vrouwen en kinderen probeerden te verhinderen om bij de schutting te gaan staan, want er werden spontaan gaten gepeuterd tussen de planken en men riep naar de mannen. Kinderen riepen lukraak: 'Dag Pappie!' Jongens uit het mannenkamp riepen een groet naar hun moeders. Alles door elkaar. En verstond je de boodschap niet persoonlijk, soms bracht iemand anders die weer over, en de opwinding en ontroering van dat vluchtige contact was uiterst groot.
Een paar avonden later vertrok een volgend transport. Te-

gen deze tijd was onze omheining al voorzien van nog veel meer gaatjes en luikjes om beter uitzicht te kunnen hebben. De Japanners gunden ons echter niet, dat we elkaar bij daglicht zagen, daarom moesten de mannen in het donker van de nacht voorbijtrekken.
'De dag, nadat de laatste groep mannen weggevoerd was, op 19 oktober, kregen wij bevel om geheel in kampverband te verhuizen. En wel naar het juist leeggekomen mannenkamp. Dit was oorspronkelijk een gevangenis, waar normaal ongeveer 600 personen in gehuisvest konden worden. Onze mannen zaten daar echter met ruim 1000 man, en wij vrouwen en kinderen moesten met onderdehand 2500 man bij elkaar zitten. Ons werd slechts een paar uur tijd gegeven om op te breken en te pakken voordat de uittocht begon. Waar absoluut geen hulp in de vorm van transportmiddelen of koelies werd verleend, en de Japanners Shigubayashi en Nakano onophoudelijk tot spoed maanden en alle regelingen door het bestuur getroffen in de war stuurden, ontstond er een chaos van koffers, teilen, babyboxen, zenuwachtige moeders en huilende kinderen. Bij de uitgang was een onbeschrijflijk gedrang, aangezien in één keer alles buiten de poort gebracht moest worden en terugkeer in het kamp verboden was. We hadden er toen nog geen benul van waarheen we zouden gaan. De door politie voor overig verkeer afgezette weg, bleek dus naar de gevangenis (de boei) te voeren. Alles wat rollen, schuiven of rijden kon werd gebruikt om de veel te zware en omvangrijke bagage zoveel mogelijk in éénmaal mee te krijgen. Veel moest onderweg achtergelaten worden, wat naderhand met de kamppedati (goederenkar) weer opgehaald werd.
Het moreel der vrouwen mag geprezen worden: zij sjouwden met opgeheven hoofd ondanks dodelijke vermoeidheid. Kwinkslagen over en weer. Een opwekkend woord tot haar, die haast niet meer konden. Een vrolijk lied tot verbazing van politie en de Japanners, die de vrouwen steeds opjoegen. Voor het hospitaal was een uitzondering gemaakt. De patiënten werden per ambulance of brancard overgebracht, de hospitaaluitrusting en bagage der patiënten per vrachtauto. Ofschoon er hard en zwaar gewerkt is, die 19e oktober, was er toch nog veel achtergebleven bagage toen om 6 uur

’s avonds de dokteres en een van de bestuursleden als laatsten het oude kamp verlieten.
Er werd beloofd, dat het kamp bewaakt zou worden en dat de volgende dag de rest van de goederen opgehaald zou worden. Twee dagen later kreeg een aantal personen pas toestemming om de achtergebleven bagage te halen. Toen bleek dat een groot gedeelte gestolen was. Ook deze keer kreeg deze sjouwploeg niet alles ineens mee. Van het achtergelatene werd nooit meer een spoor teruggevonden.
De boei werd aangetroffen in een onbeschrijfelijke staat van vervuiling, wat waarschijnlijk zijn oorzaak vond in het vrij plotselinge vertrek van de mannen. Alvorens men zich dus kon installeren moest eerst terdege schoongemaakt worden. Daardoor kwam het dat de zieken waaronder zelfs één de vorige dag geopereerde dyfteriepatiënte, urenlang buiten moesten liggen voordat zij in de verschillende afdelingen ondergebracht konden worden.’
Er kon ook geen tijd voor koken meer gevonden worden, zodat we ons al vertrouwd probeerden te maken met de gedachte, dat we met een lege maag naar bed moesten gaan. Toen gingen als verrassing de hekken nog eens open om een grote tweewielige wagen binnen te laten vol met voedselpakjes: in pisangblad gevouwen rijst met wat sambal, sajoer en dengdeng, gedroogd vlees. Er was nooit een welkomer maaltijd. Een slimme Chinees werd uit de kampkas betaald.
Vanzelfsprekend betekende de verhuizing een achteruitgang voor het vrouwenkamp. Zelfs gangen, galerijen en open werkloodsen lagen overvol mensen en huisraad. De gevangenis stond pal aan zee, met enkel een straatweg en een strookje strand ertussen.
‘Bij de voortdurende regens en de verraderlijke zeewind waren verkoudheden, hoesten en bronchitis dan ook veel aan de orde. De overvolle benauwde zalen vormden ook al geen gezond verblijf. Voor de loopgangen tussen de rijen ligplaatsen was slechts een ruimte van ± 30 cm. over.’
Elke keer als de zware ijzeren poort openging stonden wij in de buurt van die deur om een blik naar buiten te kunnen werpen. Dat was als de leveranciers in- of uitreden, of de vuilnisbakken op het strand geleegd moesten worden, of de wachtposten afgelost werden, of de begrafeniskar een nieuw

slachtoffer kwam halen. Ieder deed z'n best om een paar minuten die oneindige zee te kunnen zien, en de golven, die samen met de wind soms zulk krachtig gebulder konden veroorzaken dat het kanonschoten leken. Die hielden ons in het begin erg in spanning, omdat wij, met ons sterke verlangen naar het eind van de oorlog, en onze fantasie daarover, dachten dat de redding van de zeekant zou komen. We merkten maar al te gauw wat dat gebulder veroorzaakte en maakten kennis met de onbeteugelde macht van de zeewinden, die niet alleen lakens en dekens wegbliezen, maar soms zelfs ook potten en pannen.
'Toen daarbij eind november 's nachts nog een paar flinke aardschokken kwamen, gaf dat in die opeengepakte ruimte, zonder de kans om naar buiten te kunnen vluchten, nogal reden voor een paniekstemming. De kamerleidsters hielden echter goed orde en maanden tot kalmte. Sommige mensen wilden persé de cellen en loodsen uit om liever onder de blote hemel de schokken af te wachten.'
Er waren er echter ook, die niet eens van hun plek opstonden: omdat ze zo vast vertrouwden, dat God hen zou beschermen, of vanwege uiterste onverschilligheid, versuft en gevoelloos voor nieuwe onheilen. Er gebeurde gelukkig niets ernstigs. En daarna hebben de schokken zich niet meer herhaald.

'In deze gevangenis bevond zich sporadisch hier en daar slechts een lichtpunt. Op galerijen en in de open loodsen heerste na zonsondergang volkomen duisternis.
Op het erf was een bron waaruit het water gepompt werd door middel van een electrische installatie. Die bron alleen zou het hele kamp van water hebben kunnen voorzien, als niet herhaaldelijk de motoren defect waren geweest. Dan was men volkomen aangewezen op de 3 aanwezige putten en 3 waterkranen, die maar gedeeltelijk in de waterbehoefte konden voorzien. Voor baden kon op zulke dagen nagenoeg geen water gemist worden, terwijl men voor was en afwas slechts een enkel emmertje kreeg toegemeten.
Op het hele terrein was slechts één badkamer, voor het merendeel baadde men op inheemse wijze bij de putten. Dit deed men zoveel mogelijk na zonsondergang, omdat er in

dit kamp nog een paar mannen en grote jongens en later zelfs het jongensweeshuis waren ondergebracht, terwijl politie en Japanners op alle uren van de dag en nacht rondliepen. Dit baden was voor velen een obsessie.
Het aantal latrines zou voldoende zijn geweest indien door de slechte afvoer het merendeel niet absoluut onbruikbaar was. Bovendien bevonden er zich geen deuren voor. Bij enkele ontbraken zelfs de tussenschotten. Hier werd men gedwongen uit bittere noodzaak het schaamtegevoel min of meer opzij te zetten. Door het steeds weer overlopen van de beerputten, ondanks geregeld leegpompen, heerste op dit terrein een verpestende stank. Toch werden steeds weer vrijwilligsters bereid gevonden dit vuil zo goed mogelijk op te ruimen. Bevredigende resultaten waren niet te bereiken. Dysenteriegevallen namen hier sterk toe. Ook was er een duidelijke toename van wonden, zweren en infectiezieken.'
In deze omgeving zijn verschillende babies geboren, van gezinnen die evenals het onze pas veel later geïnterneerd waren. Helaas zijn sommigen daar ook weer gestorven; eveneens zijn er in de boei verscheidene bejaarden en andere zieken overleden.

'Toen de kampen in 1942 gevormd werden, wezen de Japanners in het begin personen aan die daarin leiding moesten geven. In Padang waren dit een pastoor, twee fraters, de Moeder-Overste en één der zusters. Na de overbrenging der pastoors en fraters naar het mannenkamp werden de besprekingen met Nippon gevoerd door één der twee fraters, die waren achtergebleven ter besturing van het vrouwenkamp. Al spoedig bleek, dat de geïnterneerden het er niet mee eens waren, dat alleen de geestelijkheid deel van het bestuur uitmaakte. Daarop werden 5 leken bij algemene verkiezingen, door alle personen boven 18 jaar, gekozen en aan het Hoofdbestuur toegevoegd. (Uit bescheidenheid ontbraken hun namen in het verslag maar ik wil ze graag noemen, omdat dit een buitengewoon geestelijk sterk team geweest is, waar ons kamp veel aan te danken heeft gehad. Het waren de dames Holle, Huijsmans, Hanedoes, Maurer en Blogg. M.d.O.)
Na de internering van de priesters naar het mannenkamp

werden de katholieke kerkdiensten te Padang geleid door één der twee fraters. De kerk werd al gauw door Nippon gesloten, en eerst als opslagplaats van goederen en later als verblijfplaats van geïnterneerden gebruikt. Toen werden de diensten elders gehouden. Een enkele maal werd Monseigneur of een der pastoors toegestaan een begrafenisdienst te leiden, voor het overige waren de katholieken nagenoeg geheel van alle geestelijke bijstand verstoken. De rooms-katholieke zusters stelden alles in het werk om de geïnterneerden zo goed mogelijk hun godsdienstplichten te doen vervullen.
De protestantse kerkdiensten werden door een predikante, mevrouw Bep Hunger (Herv.) of een der leden van de kerkeraad (Herv. en Geref.) voorgegaan.'
Er was ook een levendige Protestantse Jongeren Club (PJC) onder leiding van mevrouw Nita Frank en zondagsschoolklasjes door P.J.C.-meisjes geleid. Avondwijdingen en catechisatie vonden regelmatig plaats, evenals avondmaal, bevestiging van nieuwe lidmaten en zelfs doop.
Deze diensten werden altijd in de open lucht gehouden. Toen we naar de boei verhuisden gingen deze diensten nog steeds door, hoewel er eigenlijk geen ruimte voor was.
Ondanks dat we altijd moe waren van het sjouwen en rondhangen de hele dag in het gewemel van de massa, en al werden de diensten dikwijls onderbroken door agenten of soldaten, om te onderzoeken of het geen komplot of politieke besprekingen betrof, toch hebben die bijeenkomsten een bijzonder karakter gedragen. Er was een aparte sfeer. Er ging kracht vanuit, van samen bidden, lezen en zingen. Nooit eerder hadden we de aanwezigheid van de Heilige Geest zo duidelijk opgemerkt als juist daar. Het was een hechte gemeenschap met elkaar voor het aangezicht van God.

'Gedurende de gehele internering is door de Japanse bezetting getracht dwang uit te oefenen op de jonge vrouwen en meisjes om buiten het kamp voor Nippon te gaan werken. Dit werk werd voorgesteld als van verschillende aard te zullen zijn, kantoorwerk, verpleging, restaurantwerk, enz. Uiteindelijk is echter gebleken, dat het uitsluitend te doen was om jonge meisjes in hotels en eethuizen de officieren te laten

bedienen. Al dadelijk werden de oproepen voor dergelijk werk door het bestuur aangevoeld als iets, waaraan men geen gehoor behoefde te geven, wat men volkomen gerechtigd was te weigeren.
Van het begin af werd daarom door de bestuursleden bij Nippon naar voren gebracht, dat de geïnterneerden niet behoefden te werken, indien zij dit niet wensten.
In oktober 1942 werd een oproep geplaatst voor meisjes voor hotelbediening te Fort de Kock. Hieraan waren de volgende condities verbonden:

1. de vrije wil zou geëerbiedigd worden;
2. de toestemming van vader, moeder of voogd zou gevraagd worden en deze zouden zo mogelijk ook vrijgelaten worden;
3. indien het werk te Fort de Kock niet beviel, zou terugkeer naar Padang mogelijk zijn;
4. de meisjes zouden de bescherming van de M.P. (Militaire Politie) genieten;
5. zij zouden vrij kost en inwoning genieten, ook kleding zou hen verstrekt worden;
6. de meisjes zouden bij elkaar in een apart huis wonen, onder toezicht van een oudere dame.

Twee meisjes meldden zich aan en een oudere dame als chaperonne. Deze drie vertrokken, vergezeld van de moeders der meisjes naar Fort de Kock. Na drie dagen keerde de oudere dame terug. Zij vertelde dat zij ziek geworden was en nu in Padang eerst herstellen moest, later zou men haar daar komen ophalen. Dit is echter nooit gebeurd.
Eind januari 1943 kwamen de Japanners Kimura en Dr. Shibuya weer om meisjes voor restaurantwerk te Fort de Kock vragen. Over de condities wensten zij zich niet uit te laten. Een opgave van gegadigden moest ingediend worden.
De 2e februari kwam Shibuya terug. Waar de oproepen door het hoofdbestuur in het kamp geplaatst zo weinig succes bleken te hebben, wilde hijzelf de zaak in handen nemen. Degenen, die zich aangeboden hadden werden niet door hem geaccepteerd. Hij liet zich de naamregisters voorleggen, wees daaruit, op de leeftijd afgaande, enige namen aan en verzocht deze personen voor hem te brengen.
Het bestuur voldeed aan het verzoek, begrijpend zich hier

niet tegen te moeten verzetten, doch vastbesloten niemand tegen haar zin het kamp te doen verlaten. Toen de meisjes verschenen bleek geen hunner genegen te zijn buiten het kamp te werken. Ook de Japanner Horita spoorde de meisjes aan het aanbod te accepteren en dreigde tenslotte met dwang, doch de meisjes bleven weigeren.
Men liet hen een poos alleen, waarna Shibuya later op de dag terugkwam vergezeld van een onbekende Japanse kapitein. Hij gelastte de meisjes in een gereedstaande auto te stappen. De bestuursleden boden aan mee te gaan, hetgeen geweigerd werd. Daarop kregen de politieagenten der wacht bevel de meisjes met geweld in de auto te zetten. Dit liet het bestuur echter niet toe en het stelde zich voor de meisjes, zich beroepend op internationale bepalingen voor geïnterneerden, waarbij dwang tot werken verboden is.
Een handgemeen ontstond tussen de agenten en de dames die de meisjes verdedigden. Het kamp liep uit, velen hielpen mee.
Eindelijk werd de agenten bevolen het gevecht te staken.
Het bestuur werd door de Japanners voor dit incident verantwoordelijk gesteld en gesommeerd in de auto mee te gaan naar de Japanse Resident en zich tegenover deze te verantwoorden. Daartegen verzetten zich de verzamelde kampbewoners. Wederom dreigde men slaags te raken; tenslotte reden de Japanners alleen weg met de bedreiging nog diezelfde avond terug te zullen komen. Kort daarop kwamen twee personen van de M.P. informeren wat er voorgevallen was. Het bleek dat tijdens het handgemeen een der agenten de M.P. was gaan waarschuwen. Deze instantie liet thans weten, dat onder geen voorwaarde meisjes uit het kamp ontvoerd mochten worden. Zij was de schuldigen reeds op het spoor en deze zouden hun straf niet ontgaan.

Over dit incident gingen enkele maanden heen, tot men in oktober weer op het onderwerp terug kwam. Nu werden àlle meisjes tussen 15 en 21 jaar geroepen en op het voorerf opgesteld.
Achter de meisjes schaarden zich de moeders, vastbesloten hun dochters te verdedigen wanneer Nippon hen zou dwingen het kamp te verlaten. Als bij afspraak stelden alle kamp-

genoten zich in een carré om de meisjes op. Klaarblijkelijk slechts als toeschouwers doch gereed de poort af te sluiten als Nippon de meisjes met geweld zou willen wegvoeren. Een dreigende stemming hing over het kamp en dat werd door de Japanners aangevoeld. Zij werden onzeker, alhoewel zij met veel vertoon enige meisjes uitkozen en uit de rij haalden.
Het bestuur stelde zich naast de meisjes op. Ieder zweeg, doch was op haar hoede. Veel nutteloos geloop der Japanners; het carré werd steeds nauwer om hen heen getrokken. Plotseling werd het uitzoeken beëindigd met de mededeling dat de aangewezen meisjes op 21 oktober gehaald zouden worden. De Japanners haastten zich naar de poort op de voet gevolgd door het bestuur, dat zekerheidshalve zelf de deur achter hen sloot. Men haalde verruimd adem. Ook ditmaal was het goed afgelopen.
Toen we echter zo hutje-mutje-vol in de boei geïnstalleerd waren probeerde de sluwe Japanse commandant nogmaals een kans te wagen. Op 28 oktober gaf Nippon te kennen een 100-tal meisjes tussen de 15 en 24 jaar in een ander kamp te willen onderbrengen! Er waren slechts enkele vrijwilligsters, de overigen werden uit de registers aangewezen. Doch ieder weigerde.
Een paar dagen later verscheen de Japanse kampcommandant Nakano, vergezeld van een gewapende politiemacht van ± 40 man. De 100 aangewezenen werd gelast zich voor het vertrek gereed te maken. Het bestuur adviseerde dit niet te doen. De politie achtervolgde de vrouwen en meisjes echter tot in de blokken (kamers en loodsen waren in blokken ingedeeld) en bleef toezien tot de bagage gepakt en naar voren gebracht was. Intussen bleef het bestuur bij Nippon pleiten om de meisjes in het kamp te laten blijven. Dit had ditmaal echter geen succes. Daar er geen internationale bepaling was, die rechtigde tot verzet tegen een dergelijke overplaatsing, kon het bestuur niet voorkomen, dat de meisjes de poort werden uitgevoerd. Men overwoog echter, dat men deze weerloze jonge vrouwen niet alleen kon laten gaan, dus voegden twee bestuursleden zich bij hen. De kampcommandant verbaasde zich over het feit dat de bestuursleden, die zich het heftigst hadden verzet tegen deze overplaatsing,

zich nu vrijwillig aansloten. Zijn waarschuwing dat het hen niet mogelijk zou zijn in het kamp terug te keren werd door hen genegeerd.
Het groepje jonge vrouwen werd naar het gebouw van de K.M.B. (Katholieke Meisjes Bond) gevoerd, een verlaten, verwaarloosd gebouw, dat binnen enkele uren echter in een fris verblijf herschapen was. Enkele dagen werden de nieuwe bewoonsters met rust gelaten. Daarna kwam de kampcommandant met enkele andere Japanners, waarvan één een toespraak hield van ongeveer de volgende inhoud: 'Nippon wilde de meisjes aan het werk helpen. Zij moesten niet meer wachten op de komst van Engelsen of Amerikanen. De Japanners zouden zich binnenkort terugtrekken uit deze streken en Sumatra zou dan teruggegeven worden aan de Sumatranen. Voor de Hollanders zou dan geen plaats meer zijn. Ze moesten geen gevoelens van haat meer koesteren jegens de Japanners, want deze hadden het goed met hen voor. Zij vonden de donkere boei geen goede verblijfplaats voor de Europeanen en wilden zoveel mogelijk jonge vrouwen daar weghalen.' De toespraak eindigde met de mededeling, dat 30 jonge vrouwen uit de groep gevraagd werden voor bediening in restaurants voor officieren in Fort de Kock.
De Indonesische inspecteur van politie in Japanse dienst kwam herhaaldelijk met verhalen over de meer dan slechte hygiënische toestand in de boei, waar velen ziek werden en stierven, soms vier personen per dag. Hij vergeleek het leven van de meisjes in de K.M.B., de lichte heldere kamers, goede badkamers en volop stromend water, met de donkere loodsen van de boei waar dood en verderf hen te wachten stond.
Herhaaldelijk kwam de kampcommandant met steeds andere Japanners het huis en de meisjes bekijken. Zij bracht onrust over deze jonge mensen. Was het bedienen van officieren zo belangrijk in deze oorlogstijd, dat men speciale kampen wilde oprichten om er de meisjes uit te betrekken?
Het voor en tegen van het werken voor Nippon werd met de meisjes besproken. De leidsters brachten hen onder ogen, wat hen te wachten stond. Ieder was echter vrij om te gaan. Er waren echter niet veel vrijwilligsters.
De Japanners trachtten de leidsters er toe te krijgen de meis-

jes te beïnvloeden. Eén van hen werd naar de boei gezonden om daar te vertellen van de betere levensomstandigheden in de K.M.B. en anderen te bewegen de plaatsen in te nemen als de 30 meisjes naar Fort de Kock zouden zijn vertrokken. Zij besteedde er echter haar tijd aan om haar kampgenoten in de boei over andere dingen in te lichten. Een andere keer werd een van de leidsters naar een sociëteit gebracht waar reeds enige meisjes werkten. Zij zeiden dat het hen aan niets ontbrak, er werd goed voor hen gezorgd en voor het overige hing het van de meisjes zelf af.
Er werd steeds aangedrongen op die 30 meisjes. Een Japanse kapitein uit Fort de Kock zocht zelf de aardigste meisjes uit. Die weigerden echter allen. Toch kregen zij bevel zich de volgende dag voor vertrek gereed te houden. De leidsters waarschuwden de Japanner dat geen der meisjes wilde en niemand het recht had hen te dwingen. Die avond werden plannen beraamd om wegvoeringen met geweld tot elke prijs te verhinderen. Ieder werd haar plaats en taak in dat geval aangewezen.
Toen de commandant de volgende dag terugkwam was zijn houding veranderd. Trad hij de eerste dag op alsof K.M.B. een bordeel was, ditmaal trachtte hij het vertrouwen van de leidsters te winnen en beweerde nu niet als Japanner tot hen te spreken, maar als hun broeder. Hij raadde de meisjes aan verstandig te zijn en met hem mee te gaan naar Fort de Kock. Het lukte de huichelaar niet met welke voorspiegelingen ook hen over te halen, op het kleine aantal vrijwilligen na, die de volgende dag naar Fort de Kock vertrokken. Dacht men: later bleek, dat men hen naar Emmahaven had gevoerd en daar gedwongen had aan boord van een schip te gaan, dat hen naar het eiland Nias bracht. Hun werk bleek inderdaad het bedienen van Japanse officieren te zijn. Zij werden goed behandeld en bij hun komst op het eiland waren strenge orders gegeven. Deze Hollandse vrouwen genoten de speciale bescherming van het Japanse leger. Hen mocht niets in de weg gelegd worden. Na enige tijd zijn die meisjes naar Sibolga gebracht, slechts twee van hen zijn later weer in ons kamp terug gekomen.
De kampcommandant kwam weer terug om de meisjes van het K.M.B.-gebouw toe te spreken, dat zij de volgende dag

zouden vertrekken of zij wilden of niet. Alle Hollanders moesten aan het werk. De mannen in Bangkinang werkten ook, vertelde hij. (Dit was de eerste maal dat een Japanner de plaats noemde waar de mannen heen gevoerd waren. De vrouwen mochten daarvan niet op de hoogte zijn.) Verzet zou dus niet helpen. Om 11 uur de volgende dag zou de bagage in de hall gereed moeten liggen. Wat er echter in de hall te vinden was, geen bagage. De politie en enige Japanners kwamen in de loop van de dag steeds kijken.
Ondanks alle aanmaningen werd geen enkele koffer daar neergezet.

In de namiddag verschenen twee vreemde Japanners om de meisjes naar de Keimubu te brengen om ondervraagd te worden: zij hadden de bevelen van Nippon niet opgevolgd. Nu voelden allen gevaar.
De leidsters werden gesommeerd bevel te geven aan de meisjes om met de Japanners mee te gaan. Dit werd geweigerd, waarop met militair geweld gedreigd werd. Doch zij bleven op hun stuk staan. De Japanners voelden haar invloed op het groepje en sleurden haar weg. Maar toen kwamen alle meisjes op hen aangedrongen, zodat hun opzet mislukte en zij moesten aanzien dat beide dames (Holle en Hanedoes, M.d.O.) met de hele rij meisjes naar binnen verdwenen om te beraadslagen.
Nooit kon men zich rechtens verzetten tegen een onderzoek door de Japanners en besloten werd, dat beide leidsters mee zouden gaan en de Japanners een verklaring zouden moeten ondertekenen, dat allen binnen het uur in het K.M.B.-gebouw terug zouden zijn. Hierin werd toegestemd. De beide Japanners stempelden de verklaring.
In een autobus ging men nu naar de plaats van onderhandeling, waar de kampcommandant Nakano inmiddels ook was komen opdagen. De leidsters alléén werden uitgenodigd binnen te gaan. Zij namen echter het hele aan hun zorg toevertrouwde groepje meisjes mee. Dit was kennelijk niet de bedoeling van de heren, die met deze wijziging in hun programma verlegen bleken. Zij stelden enkele vragen zonder enige zin en brachten tenslotte allen maar weer naar de autobus. Bij het sluiten van het portier kwam echter Nakano's

bevel aan de chauffeur: 'Naar de M.P. te Fort de Kock.' Men beriep zich op de zojuist getekende verklaring. Nakano beweerde daar niets van te weten, waarop de leidsters zich wel bereid verklaarden naar de M.P. te Padang te gaan, om daar mede te delen dat de kampcommandant Nakano niet op de hoogte bleek te zijn van de ontvoering van 25 jonge vrouwen uit zijn kamp.
Woedend gaf de kampcommandant toen order naar de K.M.B. te rijden. Tijdens de rit smoesde hij met de chauffeur, die stopte om hem uit te laten stappen, waarna toen in volle vaart bij een tweesprong de weg naar Fort de Kock werd ingeslagen. Men schreeuwde de Japanse bewakers toe om te stoppen. Deze lachten vol leedvermaak en stelden zich bij de deuren op. De leidsters probeerden hen opzij te duwen en riepen de meisjes toe zo hard mogelijk te gaan gillen. Dan zou deze ontvoering althans niet onopgemerkt blijven. En inderdaad, de Indonesiërs keken de voorbij suizende bus met open mond na: dit verhaaltje ging naar Padang, daarvan kon men overtuigd zijn.
Snel overlegden de leidsters, die nog steeds in gevecht waren met een der Japanners. Dan boog mevrouw Holle zich over de Brits-Indische chauffeur, die vertwijfeld naar haar opzag, niet wetend wat te doen. De bus was in volle vaart, 25 jonge mensenlevens hield zij in de hand. Op welke manier ook. Maar dit moest tegen gehouden worden. En vastbesloten greep zij naar de handrem.
Dat was de Japanner, die door de andere der leidsters (mw. Hanedoes) met moeite op een afstand werd gehouden, blijkbaar te bar. Hij gaf bevel te stoppen. De chauffeur kreeg opdracht te draaien en de tocht ging terug naar het K.M.B.-gebouw. De politie had daar verteld dat de meisjes ontvoerd waren naar Fort de Kock.
Kort daarop werd medegedeeld, dat als straf voor hun onwilligheid alle K.M.B.-bewoonsters naar de boei terug zouden moeten gaan. Dit bericht werd met gejuich begroet. Liever wilde men met alle kampgenoten de ellende van het leven in de boei delen, dan nog langer het zenuwslopende bestaan in de K.M.B. te moeten meemaken.
Bij het vertrek vandaar lukte het de Japanner echter toch nog, na een hevige scène, 11 personen over te halen met hen

mee naar Fort de Kock te gaan; voor deze vrouwen was de terugkeer naar de boei een te zware beproeving. Ondertussen was de bagage reeds op vrachtauto's geladen en weggebracht. Die waren ze absoluut kwijt.
De meisjes weigerden beslist autovervoer en liepen, ondanks de regen, zingend het eind naar de boei terug. Vol enthousiasme werden zij daar door hun oud-kampgenoten ingehaald. De Japanners stonden daar stomverbaasd te kijken naar die vreugde en blijdschap om de terugkeer naar de bekrompen en bedompte ruimte van deze overvolle gevangenis, wat zij als straf hadden bedoeld. Zij begrepen hoe langer hoe minder van de Hollandse vrouwen, die altijd anders reageerden dan ze verwachtten. Ook kampcommandant Nakano zag dit verbeten aan. Zijn opzet was weer mislukt.
Nog eenmaal hebben ze getracht uit deze vrouwen vrijwilligsters te vinden voor restaurantwerk, maar weer te vergeefs. Niemand gaf zich op. Met een fel debat met een van de Japanse politie-autoriteiten werd aan het werven van meisjes een einde gemaakt.
Later werd nog enkele malen een oproep geplaatst voor kantoorwerk, maar wie zich aanmeldde werd niet gekozen en op de aanvraag kwam men nimmer terug. De Japanners hadden eindelijk begrepen, dat de wetenschap dat geen Japanner hen mocht dwingen tot werk buiten het kamp deze geïnterneerden sterk deed staan tegenover elke daartoe uitgeoefende dwang.'

In deze omgeving vierden Gerda en ik onze 21e verjaardag. Bij een van mijn kadootjes was een gehaakte bladwijzer met aan één einde de vijf meest belangrijke attributen voor een kampbewoner: een wadjan, een emmer, een bijl, een bezem en een zonnehoed. Corrie Rikumahu moest eens weten hoe deze bladwijzer nog steeds een van mijn liefste bezittingen is.

4

'Op 2 december 1943 werd er aan het bestuur medegedeeld, dat het kamp weer overgeplaatst zou worden. Ditmaal ver weg. Het transport zou per trein en per vrachtauto plaatsvinden. Het nieuwe kamp zou veel verbeteringen hebben: meer ruimte, veel water, goede w.c.'s, en er zou voor verlichting gezorgd worden, hoewel niet electrisch.
Over drie dagen moest een groep van 13 sterke mensen met de grote bagage vooruit gaan. Daarna zou in 5 transporten van ongeveer 400 à 500 personen de rest van het kamp worden overgebracht.
Indachtig de moeilijkheden bij de vorige verhuizing ondervonden, eiste het bestuur, dat alle bezittingen meegenomen mochten worden. Dit werd toegezegd.
Door het bestuur werden de transporten op de volgende wijze geregeld:

1. Ieder kreeg een nummer- en identiteitsbewijs en werd wagonsgewijze in een transport ingedeeld.
2. Voor elk transport werden een leidster en 12 helpsters aangewezen.
3. In elk transport ging een gediplomeerd verpleegster met enige Rode Kruis-helpsters mee.
4. De grote bagage moest van te voren ingeleverd worden, slechts handbagage mocht meegenomen worden.
5. Het ziekenvervoer zou als volgt plaatsvinden:
   a. de zwaarzieken per ambulance rechtdoor naar de plaats van bestemming,
   b. de minder ernstige zieken per speciale Rode Kruiswagon,
   c. degenen, die niet of moeilijk lopen konden en de ouden van dagen per vrachtauto naar het station.

Alles zou goed gegaan zijn, als Nippon zich aan de afspraak gehouden had. Op verzoek van de kampbewoners zou het bestuur tot het uiterste tegengaan, dat de geïnterneerden zelf

de bagage moesten versjouwen. Het verzette zich dan ook onmiddellijk toen medegedeeld werd, dat men verder zelf mee moest helpen de goederen naar het station te brengen, terwijl er nog tientallen kubieke meter koffers en matrassen op het kampplein lagen opgestapeld. Slechts één vrachtauto bleef ter beschikking voor het vervoer van de allerzwaarste stukken. Ofschoon het bestuur verbood aan dit bevel gehoor te geven, drong men, in de angst weer alles te moeten achter laten, naar de poort om toch weer persoonlijk naar het station te brengen, wat men maar dragen kon. Jammer, want vermoedelijk hadden bij eensgezind weigeren de vrouwen hun zin wel gekregen. Nu echter ging Nippon, de toeloop ziende, niet op het protest van het bestuur in. Men had het voor zichzelf bedorven. Bij vertrek ging ieder zelfs nog zwaar gebukt onder wat men dan maar als "handbagage" meenam.
Eén der vermoeiendste dingen bij elk transport was het herhaald tellen door de Japanse soldaten, wat uren tijd kostte en nooit uitkwam. Tenslotte nam het bestuur het tellen maar zelf in handen en de Japanners konden toezien.
De laatste groep had het het zwaarst te verantwoorden. Zij hadden de vier voorgaande groepen met bagage sjouwen geholpen, wat niet mee kon van het station teruggehaald (dit omvatte soms wagonladingen) en na ieder vertrek het kamp opgeruimd. Daarbij was het regentijd en alles werd door en door nat.
Toen op 15 december 7 uur namiddag de laatste groep het kamp verliet, lag nog één der zalen tot aan de nok opgestapeld met matrassen, die door gebrek aan laadruimte achter moesten blijven. Nippon beloofde dit na te sturen, hetgeen nooit gebeurd is.'

Mijn moeder, zusjes en ik waren bij het eerste transport ingedeeld. We waren bij voorbaat al moe van het wachten en opstellen in rijen van vijf, wat uren duurde, omdat ze steeds in de war raakten en dan opnieuw begonnen met tellen.
Gepakt en gezakt zaten honderden vrouwen en kinderen bij het vallen van de schemering, zomaar op straat bij het station. Elke keer dat er een Japanner langs kwam moest je weer opstaan. Er waren vrouwen en kinderen bij, die zo beladen

waren, dat ze niet alleen overeind konden komen. Juist omdat het te veel tijd kostte om af- en op te laden, lieten we alles maar op onze rug zitten, om meteen klaar te zijn als de trein arriveerde. Tegen twaalf uur 's nachts vertrokken we eindelijk. Een ongerieflijke reis. De wagons hadden twee rijen zitplaatsen langs de lengte, tegenover elkaar. Je zat pal tegen je buren aangedrukt met de bagage op schoot of onder je bank. Omdat sommige moeders en kinderen over verschillende wagons verspreid terecht kwamen, verdeelden we onze zorg over de 'moederloze' kinderen in onze wagon.
De atmosfeer was benauwd en vol rook, omdat onze bewakers naar hartelust rookten. De reis duurde de hele nacht. Tegen het aanbreken van de dag kwamen we stijf en verkleumd bij Pajakoemboe aan, waar open vrachttrucks ons ophaalden: 35 mensen + hun bagage per truck. Deze tocht duurde nog 8 uur.
Op de hele reis werd noch voeding, noch drinken verstrekt. Op elke truck reden een paar Japanners en inheemse agenten mee. Er waren eigenlijk niet genoeg zitplaatsen voor ons. Maar we haalden tenminste weer 'vrij' adem in de open natuur. We wezen elkaar op de prachtige omgeving en probeerden te vergeten dat we slechts op reis waren om in een nieuw kamp te worden opgesloten. De wind woei fris om ons gezicht. We zongen af en toe als een stelletje onbezorgde pick-nickers en genoten aanvankelijk met volle teugen. Moeders wezen hun kinderen, die het buitenleven nauwelijks hadden gekend: 'Kijk, dát is nou een paard. En dáár lopen eenden. Kijk gauw, dat daar, dat is een hond, en zó zien huizen er uit.' Het was een terugzien van dat alles na maanden en soms zelfs na anderhalf jaar van internering. Voor de allerkleinsten was alles volkomen nieuw, ook de gewaarwording om te rijden. 'Mamma, de bomen lopen weg!' werd er stomverwonderd opgemerkt.
Het voortduren van de reis in deze ongemakkelijke houding, waar mens en bagage op elkaar gepropt zaten, maakte tenslotte een eind aan het uitgelaten gevoel. Enkele vrouwen en kinderen werden wagenziek en konden niet bij de rand van de truck komen. Dat gaf vervelende gevolgen. Er werd ook niet gestopt voor noodzakelijke behoeften, behalve voor die van onze bewakers. Bovendien ging de zon steeds feller

schijnen. Onze magen gromden en rammelden meer dan ooit. Ook het tekort aan slaap speelde ons parten.

'Eindelijk, op het heetst van de dag, kwam de schutting in zicht en even later betraden de geradbraakte geïnterneerden het nieuwe kamp te Bangkinang.
Op een opengekapt terrein midden in de rimboe lagen de barakken daar in de brandende zon en gaven ons het idee daar helemaal van alle contact met de buitenwereld verstoken te zijn. Een verlaten gevoel maakte zich van de aangekomenen meester.
Het kamp bestond uit 1 kleine (30 × 10 m.) en 4 grote (60 × 10 m.) houten barakken, speciaal voor interneringsdoeleinden gebouwd, met atap-daken.
De ligplaatsen waren in vier rijen van twee verdiepingen aangebracht, waarvan de bovenste door verticale laddertjes te bereiken waren. De onderste ligplaatsen bevonden zich ± 30 cm. boven de grond, de bovenste op manshoogte, waardoor men beneden niet rechtop kon staan. De ligruimte kwam per persoon neer op 75 cm. breed en 2 m. lang. De gangen waren 1 m. breed.
Het daglicht viel alleen door de deuropeningen (2 aan de voor- en 2 aan de achterkant van de barak) en ventilatiespleten naar binnen. De bewoners van het middenvak leefden de hele dag in de schemering. De toestand werd iets beter, toen meerdere planken uit de zijmuren gebroken mochten worden, en nooduitgangen werden aangebracht.
Verder waren nog aanwezig een als hospitaal bedoeld gebouwtje en twee voorraadgoedangs, waarachter de kookplaatsen gebouwd waren.
Het zogenaamde hospitaalgebouw werd als doktershuis gebruikt, terwijl een deel van een der loodsen tot hospitaal werd omgebouwd. Voor de besmettelijke zieken kwam een aparte barak naast het ziekenhuis.
Tot ieders grote opluchting was de watervoorziening hier zeer goed. Uit een heldere, snelstromende kali werd het water naar het kamp gevoerd, waar het opgevangen werd in een lange cementen bak, waar omheen de badkamers gebouwd waren, door tussenschotten verdeeld in afdelingen voor hospitaal, vrouwen, kinderen en jongens. Waar het

water uit de bak van de laatste badkamer naar buiten stroomde, waren lange wasplanken op cementen vloeren aangebracht.
Het was een genot emmers en teilen te vullen onder de brede waterstraal, die tevens voor doorspoeling zorgde van de w.c.'s.
Het waren lange rijen cementen hurk-w.c.'s met deuren en tussenschotten. Ze waren over de snelstromende afvoergoot heengebouwd. Zo lang de watertoevoer voldoende was voldeden deze gelegenheden zeer goed aan de in deze omstandigheden te stellen eisen. Een eerdere aftapping leidde het water naar bij de keuken gelegen afwasbakken. De verkeerde aanleg bleek in de droge tijd, toen het herhaaldelijk nodig werd een stuw in de rivier te leggen, om voldoende water naar het kamp te doen afvloeien.
Omdat Nippon hiervoor geen werklui zond, pakten de vrouwen zelf aan, bekend als zij waren met alle ellende van watergebrek. Na zware regens moest deze stuw dikwijls vernieuwd of moesten gaten in de dijk gestopt worden. Dit was een der zwaarste werkzaamheden, aangezien lange, zware boomstammen omgehakt en aangedragen moesten worden, en men hen in het water staande moest aanbrengen.
Geregeld moest ook het aanvoerkanaal uitgediept en schoongehouden worden.
Toen tijdens een hevige ladangbrand, waarbij het kamp in groot gevaar verkeerde, geen druppel water aanwezig was, werd Nippon zich eindelijk bewust van de gevaren die dit kon opleveren en werd onder deskundige leiding door koelies een sterke dam in de kali gelegd.'

Zoals eerder gezegd is, lag dit kamp ver van de bewoonde wereld af. Aan alle kanten rondom de omheining wisten we de rubberbossen. Doch op het hele kampoppervlak stond zegge en schrijve maar één miezerig heveaboompje, waar men geen schaduw van kon verwachten. De pluspunten van het kamp waren, dat we 's avonds de prachtigste sterrenhemel boven ons hadden en dat er achter de badkamers en w.c.'s een soort afgraving was, waar een stroompje water doorsiepelde. Wij spraken van 'de Vallei'. Vanaf de wat hoger gelegen rand van deze vallei kon men, net over de schut-

ting, in de verte de toppen van de bergrug zien, de Boekit Barisan, die over de hele lengte van Sumatra loopt. Ook kon je van hieraf de ongelooflijkste kleurschakeringen zien, die de zonsop- en ondergangen aan de hemel toverden.
Omdat dit alles was, dat we van de natuur genieten konden, genoten we dit ook ten volle. Dit was iets, dat de Jap ons nu eens niet af kon nemen. Ik weet nog, dat we wel eens twaalf of meer kleurnuances aan de hemel telden: verschillende tinten geel tot vlammend rood, diverse grijzen en blauwen en een verscheidenheid aan lila, paars en violet. Ook pure gouden en zilveren randen aan de wolken. We hadden een apart spelletje: wolken lezen. Of het een film was volgden je ogen de wolkenmassa's zoals ze door de wind vervormd en opgejaagd werden. Met wat fantasie kon je je zo best amuseren. Soms kwam het geroep van een vogel uit de bossen, of het gekraai van een haan uit een verder gelegen kampong naar ons, uit het normale leven weggestoten mensen, overgewaaid.
In de vroegste ochtenduren, voordat de kamproezemoes losbarstte die de hele dag zou duren, zochten mijn moeder en wij dikwijls een plekje op vlak naast de schutting die het dichtst aan de boskant stond. En dan floot Mams de vogels op. Heel geduldig en natuurgetrouw kon zij verschillende vogelroepen nafluiten. Ze kreeg ook wel antwoord van een koetilang, een perkoetoet en kapodang. Het waren de meest vredige ogenblikken uit mijn kamptijd en ik kan nog het speciale sfeertje proeven, dat daar hing onder het bijzondere genot van ons koppie toebroek (zwarte koffie) die we daar dronken.
Af en toe vlogen er ook wel vogels of kalongs (reuze vleermuizen of vliegende honden) hoog over het kamp. 'Daar gaat vlees!' riepen de kinderen dan. Heel sporadisch dwarrelde er wel eens een verdwaalde vlinder naar binnen, waar we ons aan vergaapten. Zo'n teer ding uit een vorig leven. Het werd gevolgd waar het heenfladderde, het hele kamp door, totdat het omhoog ging en over de schutting vloog, nagestaard door vele jaloerse ogen, zijn vrijheid tegemoet. 'Ik wou, ik wou, dat ik die vlinder was,' sprak een kind uit wat velen dachten.

Achter de hoge planken beschutting was nog een prikkeldraadversperring aangebracht. Op elke hoek van het kampterrein stonden wachtposten met soekarella's, of heiho's, inlandse hulpagenten, die het hele kampterrein konden overzien, terwijl binnen de poort ook nog een kantoor voor de Japanse kampcommandant was, tegenover het kantoor van ons hoofdbestuur.
De 'wandelpromenade' van de geïnterneerden ging vlak langs de schutting, alle vier de kanten om, en maar door. Binnen een kwartier had je zo'n ronde gedaan. Hoewel we eigenlijk altijd moe waren slenterden we de meeste tijd maar wat rond.
Je leefde altijd te dicht op elkaar, en kon je op deze manier alleen een beetje losmaken van de eeuwige klanken- en geluidenmengeling, die overal in en tussen de barakken hing, die voor velen een obsessie werd waar niet aan te ontkomen viel, en die alleen maar erger werd naarmate je er op lette.
Omdat er helemaal geen stoelen in het kamp waren, kon je nooit eens gemakkelijk zitten. Liggen op de harde planken van je tampat was met je magere botten ook al geen onbetwist genoegen, zodat je liever voortdurend op de been was. Als je je 's nachts op je tampat wilde omdraaien, stootte je aan weerskanten je buren aan, of duwde je je koffertje of kookgerei omver. Eigenlijk kon je ook nooit rustig slapen. Hoewel tegen de nacht het stemmenrumoer wel grotendeels verminderde, was het toch nooit uitgesproken stil. De aflossing van de wacht ging altijd met veel geschreeuw gepaard. Dan waren er mensen, die geregeld aan nachtmerries leden; kinderen en volwassenen die hun angst uitschreiden, die hun opgekropte zenuwen niet meer baas waren en zich lieten gaan als het donker was. En op momenten, dat je bijna van volkomen stilte kon spreken, hóórde je de magen knorren, hoorde je de zware ademhaling van 500 mensen in een veel te kleine ruimte, die bedompt en ongezond was.
Als het niet de mensen waren, die je in je slaap stoorden, waren het wel de talrijke wandluizen. In het begin telde je, hoeveel je er in de nacht had doodgedrukt. Mijn record was 37. Ze verspreidden een weeïg-zoete geur, en elk geplet exemplaar vermorste jouw bloed. Het was ook geen uitzondering dat er ratten en muizen over je heen liepen. De heel

brutalen probeerden wel eens aan iemands tenen te knagen. Omdat het niet denkbeeldig was dat er ook schorpioenen, spinnen of andere insekten uit het bladerdak omlaag konden vallen, schrokken we ons wild bij elk gekriebel over ons heen.
In onze eerste week in dit kamp te Bangkinang zijn de bewoonsters van de achterste loodsen op een nacht wakker geworden van een gekrabbel en gesnuif achter de schutting. Later werd bekend, dat het een tijger uit de rimboe was, die geprobeerd heeft binnen te dringen. Gelukkig konden de Japanners hem verjagen.

'Daar de eerste tijd de voedselsituatie redelijk was, men geen hinder ondervond van de Japanners, en de watervoorziening uitstekend was, fleurde iedereen zichtbaar op. Wel deden de gevolgen van de boei zich nog voelen in het sterk toenemen van het aantal dysenteriegevallen dat in een maand tot 46 steeg.'
En toen moesten we ontdekken, dat Bangkinang ook nog in een malariagebied lag. Binnen een paar weken had de kleine malariamuskiet verschillenden van ons te pakken genomen en lagen we om beurten te rillen of te puffen van de koorts. En deze aanvallen herhaalden zich met een regelmaat om de drie of vier weken. Gelukkig was er in het begin genoeg kinine.

Kerstfeest 1943.
Temidden van alle ontberingen en beproevingen in het kamp hadden de meisjes van de P.J.C. (Protestantse Jongeren Club) altijd trouw hun samenkomsten. En zo werd er ook een kerstspel ingestudeerd. In alle eenvoud werd daar een gezongen kerstevangelie in het kamp verkondigd. Velen, die nooit eerder met God of Zijn woord te doen hadden gehad, woonden die kerstavond bij en deden ook later met de gewone kerkdiensten mee.
Hier, midden in de wanhoop en verlatenheid van dit interneringskamp in het oerwoud, vonden velen troost en rust in die kerstnacht. Er waren er echter ook met verbitterde harten. Dit was voor velen al het tweede kerstfeest in gevangenschap doorgemaakt, en nog was er geen uitkomst in zicht.

De langverwachte en afgesmeekte bevrijding was nog steeds niet gekomen. Hoe werd er naar de vrede gehunkerd.
'Kan men nog blijmoedig zijn en liederen zingen vanuit deze waanzin, die Jappenkamp heet? Met die eeuwig-knagende honger die aan je lichaam vreet? En met de dodelijke onzekerheid over wat er nog allemaal kan gebeuren? Man en zonen zijn we al kwijt; we weten niet eens waar ze zijn. Bezittingen hebben we ook niet meer. Al wat we bezitten is ons leven en dat hangt ook maar aan een zijden draad.'
Dat zeiden de pessimisten. Maar het koortje jubelde: 'Gloria in Excelsis Deo.' En mijn Zondagsschoolgroepje zong: 'In Betlehems stal lag Christus de Heer in doeken gehuld als kindje terneer.' Armer dan wij. Wie zou ons beter kunnen begrijpen dan Hij?
Nooit ontroerde de kerstboodschap dieper dan juist dáár, in die uiterste eenvoud, ontdaan van alle franje. Daar hield je alleen de ware en meest kostbare kern over.

Oudejaarsavond 1943.
Doodmoe naar lichaam en ziel lagen de vrouwen op hun harde tampat en konden niet in slaap komen. De gedachten draaiden in een cirkel eindeloos rond, zonder ergens een opening te vinden om aan de somberheid te kunnen ontsnappen.
De laatste paar uren van het jaar '43. Onherroepelijke terugblik: zoveel angstwekkende momenten waren er geweest en twee kampverhuizingen: van het Missieterrein naar de boei en toen naar Bangkinang (ons gezin en nog andere families, die buiten gewoond hadden, hadden zelfs nog méér verhuizingen meegemaakt).
Was dit het eindpunt? Of was er toch nog ergens ver weg een toekomst voor ons? Zou de vrede misschien dit jaar nog komen? Zouden we ooit weer met de rest van onze gezinsleden verenigd worden? Hoe lang zouden we het nog kunnen volhouden?
We hadden nu wel meer ruimte en een heerlijke watertoevoer, beter dan in Padang, maar dáár hadden we toch meer voedsel en meer kans om iets van buitenaf binnen te smokkelen. We hadden toen zelfs een clandestiene correspondentie met het mannenkamp, zodat we wisten hoe het met de

mannen, vaders en broers ging.
In Padang hadden we ook wel eens geruchten over wereldnieuws binnengekregen, doordat er een paar dames een radio verborgen hadden gehouden, totdat op een dag Nippon bij een grondige huiszoeking hierachter kwam, de dames met een hamer op het hoofd sloeg en de radio in beslag nam. Hier leek alles nu zo uitzichtloos, alsof alles nog veel erger was geworden. Magen rommelden en knorden van de nooit te stillen honger, waarvan je je zelfs in je slaap bewust bleef, want echte honger doet ook echt pijn. Je probeerde dan onwillekeurig met je handen op je maag dat zere gevoel wat weg te masseren.
Een kind huilde in zijn droom. Iemand suste: 'Stil maar, Waltertje, niet huilen.' Maar het jochie, dat net als zoveel andere leeftijdgenootjes nog niet veel anders in zijn leven gekend had dan vrees, spanning en abnormale situaties, snikte droevig. Had hij gedroomd? Wat moet er veel in die ukken zijn omgegaan: toen de Japanners gekomen waren om de meisjes weg te halen de angst dat hun moeder er ook bij zou zijn, en de sterfgevallen om hen heen moeten ook indruk op hen gemaakt hebben. Iemand die doodging werd weggebracht, die zag je nooit meer. Het zou je moeder maar moeten zijn.
Waltertje zocht met zijn handjes op de plek naast hem. Die was leeg. Nu snikte het kind, klaar wakker van radeloosheid: 'Mamma, mamma, mijn mamma is weg!' Buurvrouwen probeerden hem te kalmeren.
'Toemaar, jonkie, je mamma komt zo weer terug, ze is alleen maar even naar de w.c. Stil maar.' (Doordat we als voedsel veel sagopap kregen, die zich in vocht omzette, liepen we vele malen per etmaal naar de toiletten.) Waltertje was echter ontroostbaar zolang hij zijn moeder niet zag. Pas toen ze op haar tampat terug was en hem in haar armen hield werd dit geschokte kind getroost.
Toen werd het weer wat stiller in de barak. Alleen diepe zuchten werden af en toe gehoord. Iemand hoestte. Er werd op sommige tampats zacht gepraat. Een windvlaag blies ritselend onder het atap-dak.
Een pessimiste zei nerveus: 'Ik verwacht niets goeds van het nieuwe jaar. We gaan vast allemaal dood van de honger, de

dysenterie, de beri-beri of de tropische zweren.'
'Je vergeet de malaria, het oedeem en het chagrijn,' vulde iemand spottend aan. 'Mens, houd toch op met dat negatieve gedoe! Dat is beter voor jou én voor je omgeving. Probeer toch de dingen met wat humor te zien.'
'Humor? Waar haal je dat vandaan in deze troosteloosheid?'
'Daar moet je inderdaad een beetje moeite voor doen. Makkelijker is het om het bijltje er bij neer te gooien en in de ellende onder te gaan. Je bent hem zo gepiept, hoor, als je dat wilt. Maar sleep geen anderen mee door paniek te zaaien.'
'Ik ben benieuwd hoe ze vanavond het jaar zullen inluiden,' gaf iemand anders een wending aan het gesprek. De tijd werd in het kamp namelijk bijgehouden doordat de agent die op wacht stond elk uur op een gong afsloeg. Erg precies ging het er niet altijd toe. Ze gaven soms een uur te vroeg of te laat aan. We waren nu dus erg nieuwsgierig of ze vannacht correct zouden melden wanneer het oude jaar heenging en het nieuwe geboren werd.
En toen, toch nog onverwachts, hoorden we de gongslagen. De gesprekken staakten. In de stilte luisterden allen naar de rustige slagen, die stuk voor stuk nagalmden, anders dan het onverschillige, snelle ritme van alle dag. Wat een wonder! Bij de gong stond juffrouw Huijsmans en met weloverwogen bewegingen hanteerde zij het gong-hamertje. Ze nam de tijd om op waardige wijze het oude jaar uit en het nieuwe in te luiden. Ze had het hamertje eenvoudig aan de onthutste agent gevraagd en het gebruikt of het de doodgewoonste zaak van de wereld was, dat zij het deed.
Na de laatste slag klonk daar opeens buiten tussen de barakken een melodie. Stemmen die zongen. Het P.J.C.-koortje zong hun Oudejaarsboodschap aan de moede geïnterneerden van het vrouwenkamp toe:

' 't Nachtewaken kan niet baten.
Wilt u, mens, op God verlaten...'

Het werd weer stil na het gezang. Zo begroette het Vrouwenkamp Bangkinang 1944 met een stille vraag, die een bede werd.

'Vooral te Padang werd al het mogelijke gedaan de geïnter-

neerden het geven van onderwijs te beletten. Waar aanvankelijk het onderwijs was toegelaten, werd dit omstreeks mei 1942 verboden. Alle boeken moesten ingeleverd worden en werden achter slot geborgen.
Waar de kinderen nu maar stromeloos rondliepen, werd ondanks het verbod na rijp beraad de school heropend. Toen het terugvragen van de boeken geen succes had, ging men er toe over ze terug te nemen. Er werd gratis kamponderwijs gegeven door enige neutrale leerkrachten en door de katholieke zusters; daarnaast gaven particuliere onderwijzeressen privaatlessen. Er werd een Mulo-school geopend en zelfs eindexamen afgenomen door een door de Resident van Sumatra's Westkust (in het mannenkamp) benoemde examencommissie. Bij het onderwijs werd het voor de oorlog vastgestelde noodprogramma in acht genomen. De grote moeilijkheid was het gebrek aan een lokaliteit en het beperkte aantal boeken. Uiteraard kon de Missie het kamp nog van voldoende schrijfbehoeften voorzien.
In de boei was men geheel aan de ellende prijsgegeven. Onderwijs was daar onmogelijk. Slechts de eindklasse van de Mulo-school werd voortgezet. Te Bangkinang kreeg men bevel, dat er onderwijs gegeven moest worden. Leermiddelen werden aangevraagd, doch niet verstrekt. Waar men nagenoeg niets had kunnen meenemen, werden de boeken en schriften in het kamp opgevraagd, later tegen hoge prijzen aangekocht. Het werd een dure liefhebberij de kinderen onderwijs te doen geven. Naarmate de voedseltoestand slechter werd, moesten ook de privaatlessen meestal betaald worden, eerst met geld, later in natura. Velen offerden er nog een gedeelte van de toen reeds schrale voeding aan op. Veelal gingen de kinderen 's middags in de tuin werken om de daarmee verdiende prantjies (cassave) als lesgeld af te geven. Over het algemeen mag men tevreden zijn met het, onder deze omstandigheden, op onderwijsgebied bereikte. Zij die de Mulo-school afgelopen hadden werden nog in de gelegenheid gesteld verder lessen te nemen, bijvoorbeeld handelscorrespondentie, stenografie en dergelijke, waarin ook examens werden afgenomen. Schoolloodsen waren beloofd, doch werden nimmer gebouwd. Het onderwijs werd veelal in de open lucht gegeven, in de schaduw van de omheining.

Voor de heel kleintjes was er fröbelonderwijs, een uitkomst voor moeders, die naast de zorg voor hun kinderen nog ander werk deden.'
Mijn zus Wies heeft nog geruime tijd Engelse lessen gevolgd bij mej. Hagedoorn. En Una heeft met nog een paar meisjes reeds tijdens onze interneringsjaren een begin gemaakt met haar verpleegsters-opleiding. Zij kregen een cursus Eerste Hulp bij Ongelukken, en moesten ook zieke moeders helpen met allerlei voorkomende werkzaamheden: koken, afwassen, de was doen, de kinderen baden enzovoort. Op het eind schreef dokter Einthoven een verklaring uit, dat iemand met goed gevolg een Eerste Hulp-cursus gevolgd had en in staat geacht mocht worden het officiële examen af te leggen.

We probeerden op allerlei manieren uit de greep van de doffe onverschilligheid te blijven. Er waren voorbeelden genoeg van vrouwen die willoos weggeteerd waren, zodra hun interesse voor de dagelijkse levensomstandigheden verflauwde en tenslotte totaal nihil was. Lichamelijke zwakte alleen hoefde nog niet de dood te betekenen, als er maar geestelijke weerstand was. Wanneer men daarvan te kort had, was de situatie levensgevaarlijk.
Daar was het geval van een jonge vrouw, moeder van twee kinderen, die we ongrijpbaar zagen wegglijden uit de werkelijkheid, die ze niet aan kon omdat hij haar te absurd voorkwam. Dus creëerde ze een droomwereld, die voor haar reëler leek: zij was weer op huwelijksreis, onbezorgd en gelukkig, in een Zwitsers chalet. Ze sprak met haar man, die in onze realiteit niet aanwezig was, en ze verwaarloosde haar kinderen, die er wél waren. Ze at niet meer, en lag maar zielsvergenoegd te glimlachen op haar tampat. Haar kinderen werden door vriendinnen of buren opgevangen. Binnen een paar weken werden ze voor goed door een andere vrouw verzorgd. De moeder stierf dromend, omdat ze de grens tussen het wezenlijke en onwezenlijke niet meer vinden kon.
Zelf had ik ook een vluchtgang nodig voor mijn fantasie. Het was belangrijk om soms voorbij de kampomheining te kunnen denken. Dus 'speelde' ik, dat ik bij mijn correspondentievriendinnetje in Zuid-Afrika logeerde, en schreef vandaar brieven aan mijn familie, zodra ik maar een vel papier

te pakken kon krijgen.
Waarom juist Zuid-Afrika? Wel, daar had ik lang voor de oorlog nu eenmaal een nauw contact mee gehad. En omdat ik mijn fantasielogeerpartij beslist niet in een bezet gebied wilde laten plaatsvinden kon ik moeilijk Nederland daartoe uitkiezen. Bovendien voelde ik me toen min of meer verwant met het Afrikanervolk, dat eerder dan wij de interneringskampen heeft leren kennen. Dat deden toen de Engelsen hen aan in de Boerenoorlog.
Ik schreef dus aan huis, dat ik met Mana de Wet, met wie ik vanaf mijn twaalfde correspondeerde, paard gereden had, of gezwommen, of autogereden met de hele familie; dat we een braaivleisaand hadden gehouden (een barbecue) en mielies (mais) hadden geroosterd, en om deze gebeurtenissen verzon ik van alles. Het was wel moeilijk voor mij een onbekend werelddeel te beschrijven, terwijl mijn eigen herinneringen aan de mogelijkheden die je in vrijheid zou kunnen genieten zeer stroef op gang kwamen.
Hoewel Gerda mijn brieven met plezier las (er was immers verder geen lectuur) was ze ook heel kritisch. Dus zei ze me eens eerlijk: 'Jij bent eigenlijk net zo irreëel als die moeder, die zich in de Alpen waande. Je weet wat er met haar gebeurde. Probeer liever iets vanuit deze werkelijkheid vast te leggen. Dan verwerk je die misschien ook beter.' Toen stufte ik mijn Afrikaanse brieven uit en begon versjes te schrijven over dingen die me frappeerden, gedachten waar ik niet goed uit kon komen, opmerkingen van anderen die me getroffen hadden. De hoofdgedachte van de P.J.C.-groep, dat je al je zegeningen moest tellen (om positief bezig te blijven) en daarvan moest dóórgeven, en niets voor jezelf ervan vasthouden, werkte ik om tot het volgende versje, dat ik alleen weergeef als een voorbeeld hoe we probeerden uit het niets, toch iets goeds te peuren.

Geef dóór

Geef door van de zegen, die jijzelf ontvangt,
want dat is van heel veel gewicht.
Er zijn er genoeg, wiens dag je al gauw
met een woord of een glimlach verlicht.
Het kost je geen cent, maar 't maakt d' ander rijk,
en misschien geeft die op haar beurt

iets vriend'lijks weer door, waar 'n ander zich mee
blij voelt of wat opgefleurd.
Geef door, geef door van d' innerlijke vreê,
van de vreugde, die diep in je woelt,
van de kracht die sterk in je leven werkt,
omdat je je Koningskind voelt.
Geef door van je vriendschap in waarheid en trouw,
deel mee je gedachten en raad.
Leef mee in de vreugde of in het verdriet.
En geef van jouw hulp in een daad.
Geef door van de zon, die straalt om je heen.
Geef door van het hemelse blauw,
van de pracht der natuur, de wind die je streelt.
Van de levenslente in jou.
Geef door van je vrijheid, je blijheid, je jeugd.
Deel mee van je lust en je lied.
Deel van je zonnigheid, hoop en geluk.
Doch geef van je droefheid maar niet.
Voel je de zegen, die zo ruim jij ontvangt?
Geef door dan van het Licht,
dat stralend en rein in je leven schijnt.
Geef door met een vriend'lijk gezicht.

Weinigen van ons hadden tegen die tijd nog schoenen om te dragen. Met al de verhuizingen waren onze persoonlijke bezittingen steeds minder geworden. Het beste wat je aan kleding nog had, werd bewaard voor heel bijzondere gelegenheden, bijvoorbeeld verjaardagen, kerstfeesten, paasfeesten, bonte avonden, maar ook voor plechtigheden, wanneer je iemand uit moest dragen om begraven te worden. Verder bewaarde je ze weer zuinig voor 'als het vrede werd'. Je ging liever de hele kamptijd blootsvoets en in lompen gehuld door, als je maar iets fatsoenlijks achter de hand had wanneer de hekken opengingen en wij vrij zouden zijn.
Toch werd wel eens een soort schoeisel gemaakt door handige doe-het-zelvers: een paar houten plankjes, die met een elastieke band of een stukje touw tot heuse sandaaltjes werden. Een steen als hamer en een stukje ruw ijzerdraad (soms heel gewiekst uit de prikkeldraadversperring gegapt) om spijkers van te maken.

De kleding was op den duur zeer miniem: velen liepen in shorts en een plastron (een driehoekige lap om het bovenlichaam geknoopt). Er was niets om je goed mee te verstellen. Om aan garen te komen rafelden we draden uit lapjes. Er was een Engelse dame die bij iedereen om de weggooilapjes van hun kleding vroeg, de kleinste snippers waren goed genoeg. Tegen het eind van onze kamptijd droeg zij een fantastische housecoat van patchwork. Heel apart en kunstig. Alle lapjes waren helemaal met de hand, en uit zuinigheid met de ik-en-jij-steek, aan elkaar gezet.

Kampbaby

Het leventje vlamde wat aarz'lend als 'n lichtje ternauwernood aan.
En tòch was 't een schok voor de moeder toen het leventje stille bleef staan.
Toen het leventje vlood uit het kindje, dat de vader niet eens had gekend.
Het zou wel ontzettend lang duren, voordat zij er aan was gewend,
dat geen kindje op haar lag te wachten, dat geen stemmetje klagend haar riep,
met een zwak, een zo pover geluidje; dat geen kindje in 't wiegje meer sliep;
dat zij nooit meer het schriel, lichte lijfje zou zien, wijl het wekte haar zorg;
dat zij nooit meer het kindje kon koest'ren, zoals 't in haar armen zich borg.
Wat zouden haar armen nu leeg zijn. Dat, wat haar dagen hier vulde was heen.
Men kwam in getale haar troosten, maar troost geven kon er geen één.
'Het kindje was zwak, het was beter, dat het ging naar de plaats van de rust.
In 't leven zou 't immers nooit sterk zijn.' Maar daarmee was het leed niet gesust.
Het moederverdriet was zo hevig, zo fel, zo ontroostbaar, zo groot.
Het leven waarvoor zij toch leefde, dat was gehaald door de dood.

Onbeschrijflijke gevoelens vlijmden scherp in het hart van de vrouw,
toen zij strak starend op 't kindje begreep, dat het nooit meer ademen zou.
Ach moeder, weet toch dat uw liev'ling daarboven is bij onze Heer.
Hoe groot ook uw liefde voor 't kind was, 't ontvangt aan Gods liefde veel meer.
O moeder, uw mateloos lijden om 't gemis van uw kind kan 'k verstaan.
U moet wel veel geestkracht bezitten nu u zonder uw kindje moet gaan.
Want moeder, zo'n leed als dit grote overweldigt gemakkelijk een mens.
Slechts de sterkste laat zich niet terneer slaan. 't Is Gods sterkte, die 'k, moeder, u wens.

(Bij het heengaan van Ireentje Smit, één van de eersten die in Bangkinang begraven werd.)

De voedselvoorraad die we ontvingen was totaal onvoldoende om de voortdurende honger te stillen. Na elke maaltijd had je enkel een beetje minder honger dan daarvoor. Nooit was er genoeg om het gerommel in de magen te doen ophouden.
Als het geroep door de barakken ging dat er rantsoenen te halen waren stormde iedereen vliegensvlug haar tampat af en rende naar de goedangs, waar het uitdelen van de porties plaatsvond. Daar moest je in rijen je beurt afwachten en dan kon je het beste vooraan staan, want dikwijls was er voor de achtersten niets meer over. Op was op. Die kwamen dan een volgende keer het eerst aan de beurt.
Omdat er nooit genoeg binnen kwam voor alle barakken tegelijk, was er een systeem ontwikkeld, dat er telkens een paar barakken voorzien werden van de bijzondere rantsoenen, zoals groenten, suiker, olie, vlees. De dagrantsoenen waren er wel voor iedereen. De distributie van voedingsmiddelen werd geregeld door het Keukencomité (3 á 4 leden), gekozen door blokleidsters, keukenleidsters en Hoofdbestuur. Toen de centrale keuken tijdens de laatste maand

op het Missieterrein te Padang was afgeschaft, werden alle voedingsmiddelen in natura uitgedeeld. In Bangkinang was er alleen een centrale keuken voor het hospitaal. De rest van de geïnterneerden kon zelf koken.
Het was een wijze gedachte van ons bestuur, dat de vrouwen zèlf bezig moesten zijn, desnoods in kongsie met een ander gezin (zodat de ene moeder kon koken, terwijl de andere op beider kinderen paste), want zelf bezig zijn hielp om de tijd door te komen. Dit en de zorg voor de kinderen hield de vrouwen op de been.
Dagelijks kregen we hier per persoon een kopje rijst en een kopje sagomeel. De meestverstrekte groenten waren cassavebladeren (die deden denken aan het blad van de paardekastanje, maar op een langere steel), die in normale tijden als voer voor het vee dienden. Zo ontstond de kreet: 'Blok A geiteblaren halen!' En dan vlóóg blok A. Ik herinner me, dat we tijdens een heel krappe periode eens als groente per persoon één zo'n blad kregen toegemeten. En een andere barak kreeg helemaal niets. En dat Mam van de vijf bladeren die ons gezin rijk was er twee afstond aan een gezin uit die andere barak.
'Hoe kunt u dat nou doen, Mam?' vroegen haar dochters verwijtend. 'Nu hebben we met ons vijven maar drie blaadjes groenten.'
'Weet ik,' zei ze kalm. 'Maar dat andere gezin heeft er nu maar twee met z'n zessen en die zijn de koning te rijk.' Je kon niet veel meer doen, dan die blaadjes door de rijst of sagopap heen te snipperen, dat was de beste verdeling.
Een andere keer kregen we één citroen per gezinshoofd. En omdat we toen met een alleenstaande dame in kongsie waren, hadden wij nu samen twee citroenen. Deze dame leverde haar dagelijkse voorraad bij ons in, wij kookten ze met onze porties mee en aten er gezamenlijk van. We waren blij met de citroenvitamines.
'Dat is lekker bij de rijst,' zei de dame monter en perste het sap van haar citroen over haar bordje rijst met wat groenten.
'Niet te veel!' riepen we allemaal waarschuwend om haar heen. 'Dat wordt veel te zuur.'
'O, maar dat is heel gezond,' lachte ze en kneep en kneep tot

er geen druppel meer uit de citroen kwam en haar portie rijst in het zure sap dreef. Met grote ogen keek wij toe, hoe ze haar eerste hap nam... en weer uitspuwde.
'Nee, dat is niet te eten,' moest ze toegeven. We hebben nog geprobeerd de rijst in water schoon te spoelen, maar ze bleef oneetbaar. De wrok, die we toen voelden, om het bedorven eten! En omdat we toen natuurlijk niet anders konden doen, dan haar allemaal een paar hapjes van onze eigen porties af te staan! Dat was wel erg moeilijk in die tijd.

Om de paar weken was er een vleesuitdeling. Dan werden de barakken beurtsgewijs er van voorzien. Dit gebeurde in bepaalde kwaliteitsporties: de ene keer kwam je in aanmerking voor 'goed vlees', en een andere keer voor 'hart en longen', of voor 'kale botten' en tenslotte kon je ook met 'strotten en ogen' afgescheept worden. Er werden nauwkeurig notities van gemaakt, wie wat en wanneer gehad had.
In ieder geval kon je van alles bouillon trekken, en er met je meelrantsoen een ragout van maken.
Eieren werden ook op gezette tijden ontvangen. Soms maar 50 stuks per keer voor om en bij de 2500 personen. Dan waren ze meestal voor de zieken, of voor de allerkleinste kinderen. Het waren gewoonlijk eendeëieren, die waren wel groter, maar ook gevaarlijker dan kippeëieren vanwege de paratyphusbacillen die er in konden zitten. In verband hiermee moest men de eendeëieren altijd extra lang koken. Eierschalen werden verzameld en aan het dokterhuis afgeleverd. Ze werden goed gewassen en fijngestampt en aan de jongste kinderen gedistribueerd als extra kalktoediening voor hun tanden en beendergestel.
Ook kregen we af en toe wat klapperolie, soms met maanden tussenruimte zodat je er heel zuinig mee deed. Je spaarde die bijvoorbeeld uit als je van je sagomeel pannekoekjes maakte; die kon je ook zonder olie bakken. Ook werd er nogal eens onderling geruild met andere barakken, die voor andere rantsoenen aan de beurt waren. Ik herinner me dat mijn moeder eens wat olie uitgeleend had aan een Singaporse dame, een Anglo-Indische, die het later weer terugbracht in een leeg inktpotje. Dat was hun maat: zo'n potjevol had ze geleend en net zo'n potjevol bracht ze in dank la-

ter terug. Mijn moeder sprak geen Engels, maar de beide dames onderhandelden in het Maleis. Zij had heel veel respect voor Mammie. En toen ze het niet meer zag zitten met haar zoontje, dat steeds onhandelbaarder en ongezeggelijker werd, kwam ze eens met hem bij mijn moeder en liet hem daar achter met de woorden: 'You better listen to Mem.' Hij verstond ook Maleis. Mammie wekte altijd het vertrouwen van alle kinderen en kwam er al gauw achter dat het kereltje z'n vader verschrikkelijk miste. Ze kon hem ervan overtuigen, dat z'n moeder dat ook deed, en dat hij het haar daarbij nog moeilijker maakte. Vond hij dat sportief? Alle andere kinderen misten hier immers ook hun vaders; stel je voor, dat die allemaal lelijk tegen hun moeders gingen doen. Die konden het immers ook niet helpen. Ze spraken ook over andere dingen en hij kwam haar later uit zichzelf nog eens opzoeken. Ze heeft lang een tekening bewaard, die hij voor haar getekend heeft: een boot, waarmee hij eens hoopte naar Singapore terug te varen.

Soms kregen wij bruine bonen gedistribueerd. Daar kon je brood van bakken. Eerst weken, dan malen (in een oelekan, steen op steen), met wat meel en wat zout (als je zo rijk was) kneden, en dan au bain Marie koken. Een koningsmaal was dat. Je genoot van elk hapje, dat je zo lang mogelijk kauwde. Er werden ook bonen achtergehouden om brood van te bakken voor het Heilig Avondmaal in de kerkdiensten ongeveer eens in een half jaar. Als wijn diende dan een citroentheedrank. Het was desondanks altijd een oprecht heilig sacrament.
Als fruit kregen we in hoofdzaak pisangs (bananen). Sommigen brachten het op die niet ter plekke op te eten, maar voor de volgende dag te bewaren. Het ontbijt was namelijk een onsmakelijke sagopap, zonder melk of suiker, en soms zelfs nog zoutloos daarbij. Zo'n fijngeprakte pisang daarin gaf die stijfsel-lijm dan nog wat smaak. Maar meestal kwam je al gauw in de verleiding, nam de bewaarde pisang telkens en telkens weer in je hand, draaide hem om en om, keek er naar, speelde er mee, legde hem weer weg, en voor de dag om was had je hem geschild en opgegeten. Zelfs de pisangschillen werden bewaard, in reepjes gesneden, wat aange-

fruit en met wat meel aangedikt voor een extra maagvulling. Het leek op bedorven, zwartgeworden pap. Maar het was een extra maaltijd, dus was je er gelukkig mee.
Mevrouw Holle, ons Kamphoofd, zag er steeds op toe, dat de jonge meisjes in de groei, 10 tot 14 jaar, iets extra's kregen, wanneer dat maar mogelijk was: een apart rondje groente of fruit. 'We moeten zuinig zijn op de toekomstige moeders van ons volk,' zei ze.

Geleidelijk aan merkten we hoe onze krachten afnamen en ons weerstandsvermogen verminderde. Diegenen die aan malaria leden, kregen soms om de drie weken precies weer een aanval. Dan lag je rillend van de koorts en klappertandend van de kou op de harde planken van je smalle tampat, en je voelde de hele stellage van de barak onder je schudden en deinen als je mede-geïnterneerden daarop rondliepen en trapjes opklauterden. Om de paar minuten was er een of andere belangstellende, die naar je kwam informeren.
Malariapatiënten kwamen niet in aanmerking voor hospitaalopname. Daar kwamen uitsluitend de besmettelijke zieken en de ergste gevallen van tropische zweren, uiterste verzwakking en hongeroedeem terecht.
Op een avond repeteerde het P.J.C.-koortje in de buurt van de ziekenhuisbarakken 'O God, die mij hebt vrijgekocht en door Uw bloed gered...' toen onze predikante, mevrouw Hunger, die op ziekenbezoek was, naar buiten kwam. Ze verzocht ons of we dichterbij wilden komen en dit lied nog eens wilden zingen. Het was het verzoek van een stervende vrouw. Deze vrouw was nog niet zo lang geïnterneerd, en zeer precies en overdreven schoon geweest op zichzelf en op wat ze at en dronk. Ze zette haar eetgerei na de afwas altijd in de hete zon te drogen om alle bacteriën te doden. En uitgerekend zij raakte besmet met de dysenteriebacil en binnen een paar dagen was zij stervende. Zij had nooit iets aan godsdienst gedaan en nimmer een kerk bezocht. Nu was zij gegrepen door dit lied. Wij gaven natuurlijk gehoor aan haar wens en zongen ook andere liederen uit ons repertoire: 'Veilig in Jezus' armen' en 'Dichter mijn God tot U' en we besloten met de zegenbede, het lied dat ons koor na elke kerkdienst zong, wanneer de predikante Gods zegen over

ons had uitgesproken:

'De Here zegene en behoede u,
De Heer doe Zijn aanschijn over u lichten
en geve u vrede.
De Heer zal uwe uitgang en ingang bewaren
van nu aan tot in alle eeuwigheid.'

De vrouw vroeg om gedoopt te mogen worden, wat gebeurde. Twee dagen later stierf ze.

Het kampleven sleepte zich voort. Op allerlei manieren probeerden we onder elkaar een paar centen te verdienen, waarmee we ons extra 'goedang rondje' (iets extra's dat buiten de kamprantsoenen viel) konden kopen. Zo deden we bijvoorbeeld de was voor vrouwen die nog eigen geld hadden. Of kookten voor hen. Of namen hun corvees van hen over tegen vergoeding.
Verschillende vrouwen kregen het voor elkaar om elke dag een lepeltje van hun karige voorraad achter te houden en verkochten of verruilden het tegen iets anders. Men bakte koekjes en cakes van licht gebrand meel met of zonder eieren, met een snufje zout en wat suiker, men maakte lekkers van cassavewortels of oebie (zoete knollen) en verkocht het in porties. De fantasie van die vrouwen was onvoorstelbaar en alles smaakte uitstekend als je het geld had om er iets van te kopen.
Als het je lukte om wat geld in handen te krijgen, dan kon je daarvan weer van die extra dingen kopen, zoals koffie, kruiden, lado's (tjabees of spaanse pepers) waar de kinderen op sabbelden bij wijze van lollies, jonge gember- en koenjitwortels die je als peentjes kon opknabbelen, zeep, brokken bruine javaanse suiker, klappers of bonensoorten. Wanneer je gelijktijdig over koffie en een kokosnoot, een klapper, beschikte was je zeer fortuinlijk, want dan kon je 'koffie-santen' verkopen, dat bracht mooi geld in het laadje. Omdat we gewoonlijk de koffie zwart dronken (toebroek) was deze met het scheutje santen (kokosmelk) er in pure luxe. Ze deed volgens ons beslist niet onder voor koffie met room, waar we van droomden. De roep 'koffie-santen!' door de barak was voldoende om iemand uit haar diepste slaap te wekken, de tampat af te doen vliegen en zich naar de koffiever-

koopster te haasten met de drinkmok in de hand. (Een leeg melkblikje of diepe klapperdop.) Dit was met recht een bakje troost, die warme, romige koffie. Als je die dronk kreeg je onwillekeurig associaties met de gezellige koffiedrinkerij van vroeger thuis, toen we allen nog bij elkaar waren. Elke slok bracht herinneringen daaraan en dromerig dronk je je koffie-santen met een brok sentiment.

Heimwee
Thuis! – Dit woord roept weer wakker
alle momenten, gevoeld en beleefd,
waarvan herinnering, vast of maar vaagjes,
in ons geheugen geslapen heeft.

Thuis! – Dit woord wekt verlangen
naar alles wat was, tot het kleinste ding toe.
't Woord klinkt zo pijnlijk in tijden als deze:
Verre van huis, en het kampleven moe...

Om de tijd door te komen en ons geheugen te testen en te scherpen verzonnen we het spelletje 'Thuiskomen'. We stelden ons voor, dat we weer thuis kwamen. Hoe zag het huis er ook weer uit? We namen bijvoorbeeld het huis in de Kampementslaan in gedachten. Als je voor aan de poort stond had je eerst die lange oprit, dan waren er de twee trapjes aan weerszijden om in de voorgalerij te komen, rechtdoor had je... enzovoorts. Wanneer je het hele huis 'rondgegaan' was, nam je een andere woning. Ons gezin was, tot we in Bangkinang kwamen, zo'n 17 à 18 keer verhuisd, waarvan de laatste 8 maal tijdens de Japanse bezetting, binnen 1½ jaar. Wanneer we al de huizen gehad hadden die we ons nog konden herinneren, gingen we in gedachten 'op bezoek' bij familie of vrienden: hoe was ook weer het huis van tante Roos in Meester Cornelis, of van tante Eef in Bandoeng, en van oom Gerard in Tandjong Priok?
Ook speelden we met toekomstplannetjes. Fantasieën wat we zouden gaan doen. We zouden proberen een groot huis te huren en wezen opvangen, die er ongetwijfeld in ruime mate zouden zijn. Ons hele gezin zou zich daarvoor inzetten. We hadden geleerd zuinig te leven, en zouden wel kans

zien op de een of andere manier geld te verdienen, waarmee we die kinderen zouden kunnen verzorgen. Het werk konden we onder elkaar verdelen. We hielden er allen van om creatief te zijn. Misschien zouden we wel een winkeltje aan huis kunnen houden. Onder Mams' leiding zouden we speelgoed kunnen maken, en kleding, we zouden ook gebak kunnen verkopen of ons op houtsnijwerk toeleggen, of prentenboeken maken. Alle kanten kon je uit in je fantasie. Heerlijk was dat. Het hielp ons niet alleen de dagen te korten, maar hield ons ook actief aan het denken en geestelijk bezig zijn. Dat was heel belangrijk, hoe onvervulbaar de plannetjes toen ook waren.

Hoe meer het gebrek aan voedsel toenam en daardoor onze krachten afnamen, des te meer groeide en bloeide de smokkelhandel. (We moesten immers hoognodig het te kort aan vitamines en bouwstoffen voor ons lichaam aanvullen.) De nachten waren de meest geschikte tijd daarvoor, en die waren dan ook vol van geheimzinnigheid. Bij tijden was de smokkelhandel zeer levendig, dan weer lag ze weken of maanden stil. Dat kwam overeen met de betrouwbaarheid van de agenten of wachtposten, die eerst getoetst moesten worden wanneer een nieuwe groep de wacht overnam. Van elkaar wisten de agenten ook niet, wie er oogluikend de smokkelhandel zouden toestaan, of wie hen daarbij zouden verraden bij de Jap. Een vergissing daarbij zou op een gruwelijke straf uit kunnen lopen. Ook de vrouwen in het kamp moesten op dit gebied de uiterste voorzichtigheid betrachten, omdat men nooit zeker wist of er geen Japanse spionnen onder ons waren. Daarom waren alleen de meest uitgeslapen en handigste personen geschikt voor dit werk. En door hun toedoen kwam er heel wat extra's binnen.
Eenmaal was er een bijzonder gunstige samenloop van omstandigheden. Het was een heel donkere nacht, en alle agenten die op wacht stonden waren te vertrouwen, terwijl de Japanse officier van dienst één van de sulligste was. De geraffineerde smokkelaarsters presteerden het om hem een slaappoeder in z'n koffie te mengen en toen hij vast in slaap was de kamphekken wijd open te gooien. Alsof het een gewone kamprantsoenlevering betrof kwam de kar met goederen

rechtuit binnen gereden. Maar hij reed niet door tot de goedangs, doch werd vlak aan de poort binnen vijf minuten afgeladen, waarop hij rechtsomkeert maakte en de hekken weer gesloten werden. De goederen verdwenen spoorloos in alle richtingen van de vijf barakken. De volgende dag was er op verschillende plaatsen een bepaalde tampat, die, wel zo onopvallend mogelijk, toch druk bezocht werd. Iedereen, die nog wat geld had ging daar een kijkje nemen om te zien of ze het niet konden omzetten in wat suiker, bruine bonen, eieren, fruit, klappers, pakjes gekookte rijst of inlandse lekkernijen.

Hoe geslaagd de smokkelhandel ook al mocht zijn, wat er binnen kwam bleef toch wel een druppel op de gloeiende plaat van de honger. Daarbij was het een zeer riskante en zelfs levensgevaarlijk onderneming. Er is wel eens onraad geweest, waarbij alarm geslagen, geschreeuwd en geschoten werd, gelukkig zonder dodelijke afloop. Ook zijn er een paar keer meisjes gesnapt bij het smokkelen. Die hebben voor straf een paar dagen in een politiecel buiten het kamp opgesloten gezeten zonder voedsel. Maar in de nacht smokkelden agenten, die hen bewaken moesten, maaltijden naar binnen. En zo kregen ze zelfs meer te eten dan in het kamp. Als je echter het ongeluk had, dat luitenant Sakei, die we Jan de Mepper noemden, dienst had terwijl je gepakt werd, dan werd je vooraf al geslagen voordat je naar de politiepost werd afgevoerd. Doch de straffen waren nooit doeltreffend, want, terwijl er een paar de straf uitzaten was er al weer een hele groep bij de achterste schutting bezig met schijnheilige gezichten te smokkelen.

De groep had met elkaar afgesproken om in de meest hachelijke smokkelperiodes, waarop de Japanners strenger toezagen, allen hun speciale 'smokkeluniform' aan te trekken. Dat was een gewoon laken, dat ze omsloegen om niet herkend te worden. Bijgelovige kampbewoners durfden soms 's nachts niet naar de w.c.'s te lopen omdat ze bang waren voor de witte spookgestalten.

5

De dagen, weken en maanden regen zich aaneen. Een eentonigheid, die toch vol kleine en grote gebeurtenissen was, waarin we met elkaar belang stelden. We konden echter alleen bespreken wat op ons kampterrein gebeurde; wat daar buiten plaatsvond konden we immers niet eens vermoeden. Tenminste niet in het begin. Het was daarom een grote vreugde toen de brievensmokkel met het mannenkamp ook in onze nieuwe verblijfplaats op gang kwam.
Wat konden we intens dankbaar zijn met de twee vinger brede, schoolschrift-lange reepjes papier, waarop onze geliefden in zo klein mogelijk schrift zoveel mogelijk nieuws probeerden te schrijven. En met hetzelfde kriebelschrift zorgde je voor het antwoord. Je betaalde de agent, die de briefjes in de rand van zijn pet binnensmokkelde, wat niet meer dan billijk was, want hij stelde er zijn leven mee in de waagschaal. Daarom moesten ook alle bewijzen van correspondentie zo snel mogelijk na lezing en beantwoording vernietigd worden.
Als er een postbestelling uit het mannenkamp was, was er zichtbaar een opleving in het kamp. De stemming was opgewekter, er klonken meer kwinkslagen, er werd weer gelachen. Men was gerustgesteld als men wist, dat het daar nog goed ging.
Het nieuws, dat de mannen schreven vloog als een windvlaag naar alle kanten van het kamp. Zo kwamen ook dikwijls de wildste geruchten binnen, nieuwsberichten over de oorlogstoestand in de wereld. Moedgevende berichten over een naderende bevrijding en de vrede. Er werd zelfs een datum genoemd. Daar moesten we om glimlachen. Hadden we niet al vaker naar een vastgestelde datum uitgekeken, waarop het einde van de oorlog was voorspeld? We begrepen zoetjes aan wel, dat dit een speciale taktiek van de mannen was, om te proberen het uithoudingsvermogen van de vrouwen zo lang mogelijk te rekken. Als je naar een bepaalde da-

tum toeleefde, verzamelde je ook al je moed en energie om die dag te willen beleven. Zonder een zeker doel voor ogen, géén dag om hunkerend naar uit te zien, had je een grotere kans om te bezwijken, de boel er bij neer te gooien, er onderdoor te gaan. Zo leefden we van datum tot datum en hoopten en worstelden om stand te houden.

Soms lieten de Japanners toe dat de mannen zelfgemaakte geschenkjes stuurden aan hun vrouwen: houten krukjes, lepels van batok kelapa (de harde schaal van de koskosnoot) of een beker daarvan gemaakt, houten opscheplepels, blikken busjes, bamboe zeefjes of houten klompjes. Ook gebeurde het een paar keer dat de vrouwen hun kapotte pannen, ketels of teiltjes naar het mannenkamp mochten zenden voor reparatie, omdat de mannen over een werkplaats beschikten. Er mochten echter nooit briefjes meegestuurd worden.
Natuurlijk werd dit toch gedaan: achterop het adreskaartje, of in een dubbele bodem van een pan, of onder het zitplankje van een krukje.
Sommigen adresseerden hun pakjes op naam van de juiste persoon, met enkele extra voorletters er bij: O.K. Huppelepup. En als afzender bijvoorbeeld: Jan Kop-op Jansen. Piet Houmoed Willemsen of Klaas de Jong van het Beste. De Japanners wisten niet beter of het was gewoon weer zo'n onuitspreekbare Hollandse naam. De geadresseerden echter waren zielsgelukkig met het geschenk of de gerepareerde pot, maar meer nog om de berichten, dat het goed ging aan de andere kant. Ze waren O.K. en wensten elkaar moed en het beste toe.

Een enkele maal is het gebeurd, dat de mannen een tjèlèng (wild zwijn) in het bos rondom hun kamp konden vangen. Ze mochten het slachten. Ze vroegen en kregen zowaar toestemming om een deel ervan naar het vrouwenkamp te brengen. (Bij deze gebeurtenis werd pas ontdekt dat de beide kampen niet meer dan twee kilometer van elkaar verwijderd waren.) De mannen en jongens die het vlees brachten mochten het niet tot aan de poort van het vrouwenkamp komen brengen, maar moesten het een eindje terug neerleggen.

Doch de kleine jongens in het vrouwenkamp waren begiftigd met een soort radarachtig vermogen: die hoorden, zagen, roken en wisten alles wat er ook maar op straat op een kilometer ver passeerde of aankwam. En hun loeiende kreet: 'De mannen brengen vlees!' drong tot in het verstgelegen tampatje door, en deed iedereen opvliegen en naar voren hollen om maar een glimp te kunnen opvangen van de mannen. Stel je voor dat het bekenden waren!
De opwinding was des te groter als er inderdaad herkenning plaatsvond. Dan werden direct de betreffende vrouwen en kinderen gewaarschuwd. Voor hen was de vreugde haast ondragelijk: om elkaar alleen uit de verte even te kunnen zien, zonder de mogelijkheid van een gesprek. De Japanners letten er streng op, dat enkel een groet gewisseld werd voordat de mannen naar hun kamp terugliepen. Pas als zij uit het gezicht verdwenen waren kreeg onze keukenploeg toestemming het zwijnevlees op te halen. Dan werd het onmiddellijk in porties verdeeld en ofschoon tegen die tijd de schemering al was ingevallen, werden de rantsoenen uitgedeeld en de vuren opnieuw aangemaakt. Tegen de nacht geurde het hele kamp naar geroosterd of gebraden vlees.

In de keuken worstelden de vrouwen en meisjes met het vuur. Er was een groot tekort aan hout. En de kleine hoeveelheid die de Japanners in het kamp toelieten was bovendien nog levend hout. Het waren jonge, groene versgekapte boompjes, die niet makkelijk branden wilden, maar wel veel rook ontwikkelden.
De vrouwen konden het eten maar niet gaar krijgen en de kinderen kwamen telkens weer klagen, dat ze zo'n honger hadden, en maakten de toch al zenuwachtige moeders, die elkaar al voor de voeten liepen bij de stookgaten omdat er veel te weining ruimte was voor allemaal, helemaal dol. Hun ogen traanden van de rook, die uit de verschillende toenkoes (stookgaten) omhoog steeg.
'Zoek toch nog meer hout!' riepen de vrouwen en de kinderen vertelden dat er in het hele kamp nergens ook maar een splintertje hout meer te vinden was, omdat iedereen aan het houtzoeken was.
Het was toen, dat kleine Guus zijn zusters houten klompjes

onder hun tampat vandaan haalde, ze in stukjes hakte en die aan zijn moeder bracht om het vuur aan te maken. Arme Guus kreeg het zwaar te verduren. Maar een paar dagen later was het de doodgewoonste zaak, dat je je klompen opofferde om het eten gaar te krijgen. Er was nergens meer aan droog hout te komen en men kon, hoe erg de honger ook al was, toch de rijstkorrels en het sagomeel niet rauw eten.
Later ging de speurtocht verder! Toen er geen klomp meer was gingen alle krukjes er aan. Een krukje was een weeldeartikel in het kamp. Je kon best zonder, maar niet zonder brandhout.
Toen begonnen de vrouwen de palen waaraan de waslijnen bevestigd waren, te slopen en in stukjes te hakken. Binnen een paar dagen werd er van de deuren van de badkamers en w.c.'s aanmaakhout gekapt. Daarna wilde men doelbewust de planken schutting los breken om er brandhout van te maken. Maar nu kwamen de Japanners in actie. Als furies gingen zij door het kamp en deelden hier en daar klappen uit. Toen dromden alle geïnterneerden samen voor het kantoor van de commandant.
'Waarom krijgen wij niet voldoende brandhout?' vroeg onze woordvoerster. 'We wonen nota bene tussen de uitgestrekte bossen van Sumatra en buiten ons kamp is een overvloed aan geschikt hout. Laat ons toe om in corvees uit te gaan om hout te zoeken voor het hele kamp.'
Dat vond Nippon niet nodig, zeiden ze. Toen klonken de vrouwenstemmen resoluut: 'Wij hebben nu eenmaal hout nodig. Als Nippon het ons niet geeft, zullen wij het zelf zoeken. Dan is nu de schutting aan de beurt.'
Toen kozen ze eieren voor hun geld. Er werd uit vrijwilligers een groep houtcorveeërs samengesteld.
Zij mochten, natuurlijk onder scherpe bewaking, in de bossen hout kappen en voor het hele kamp de voorraad binnen brengen. Hier konden de grote jongens mannenwerk verrichten, wat hen een gevoel van trots en eigenwaarde gaf. Doch ook vele vrouwen en meisjes hebben ver boven hun krachten aan bomen gesleept. Bijna alle kampjongelui hebben later in mindere of meerdere mate rugklachten gekregen. Toen na de bevrijding de mannen hun hulp konden aanbieden, zochten zij voor het vrouwenkamp de dunste

stammetjes uit, zodat wij ze makkelijk konden hanteren. Er ging een vrolijk gelach op uit de vrouwenschare en we zeiden: 'Wacht maar even tot onze eigen ploeg terugkomt, dan zullen jullie eens wat zien.' En de mannen keken hun ogen uit, omdat de boomstammen die toen binnen kwamen minstens twee of drie maal de dikte hadden van die van hun. De houtcorveeërs ontvingen als beloning elke drie weken een klapper of een kopje meel of rijst extra. Nadat de houtploeg een paar weken gewerkt had, ontstonden er in de omliggende bossen open plekken, waar de bomen met wortel en al weggeruimd waren. Wij vroegen en verkregen toestemming om daar groentetuinen aan te leggen. Zo ontstond het tuincorvee, alleen voor vrijwilligers.
Natuurlijk waren er nog veel meer corvees in het kamp. Verplichte. Je had er het keukencorvee (voor het schoonhouden van de keukens), de badkamer- en w.c.corvees, een vuilnisbakken-, afwasbakken- en slotencorvee, een drooglijnen- en een erfcorvee. Deze waren allen voor het schoonhouden van het hele kampterrein. Deze corvees waren ons niet door de Japanners opgelegd, maar zelf hadden wij er belang bij dat ons terrein zo schoon mogelijk was, dan had je de minste kans op epidemieën.
Voor het tuin- en houtcorvee waren de meeste liefhebbers. Het was een weldaad om een paar uurtjes in de frisse lucht buiten het kamp door te brengen. Sommigen wilden echter juist dit corvee liever niet doen, omdat ze het moeilijk verkroppen konden na afloop van die buitenuurtjes naar de opsluiting te moeten terugkeren. Het was ook een ellendig gehoor als het hek weer achter de laatste teruggekeerde corveester in het slot dicht knarste.
Van onze groentetuin hebben we helaas niet veel nut gehad. Telkens als alles een beetje groeide of rijpte, woelden de wilde zwijnen het omver en aten de groenten en knollen in onze plaats op.
Er was ook een uitlaad- en sjouwcorvee voor de levensmiddelen, dat was de goedangploeg. Deze deelde ook de rantsoenen uit. Dan had je de aparte ploeg van de hospitaalkeuken. Verder was er, met het oog op brandgevaar een brandwachtcorvee. Men moest eens in de tien dagen 2 uur lang twee aan twee brandwacht lopen 's nachts.

'In Bangkinang bestond het Hoofdbestuur uit de 5 lekenbestuursleden. De fraters waren naar het mannenkamp gezonden en hun plaats in het Hoofdbestuur werd niet meer gevuld. De zusters hadden zich teruggetrokken nu het kamp niet meer op het terrein van de Missie gelegen was. De leden behartigden ieder een bepaald gedeelte der kampaangelegenheden.
Het kamp was verdeeld in 5 blokken, met aan het hoofd een blokleidster. Elk blok was verdeeld in 4 onderblokken, geleid door een onderblokleidster.
Een nieuwe administratie werd ingevoerd. Naast de door Nippon voorgeschreven registers werd een kaartsysteem aangelegd, met het oog op eventuele informaties naar verblijfplaats of welzijn der geïnterneerden, hetwelk wellicht na de oorlog nog van dienst zou kunnen zijn. De kas werd beheerd door een kashoudster.
Eenmaal in de twee weken kwam de blokvergadering bijeen. Deze bestond uit: Hoofdbestuur, blokleidsters, onderblokleidsters, keukencomité, de hoofdzuster van het hospitaal, de financiële commissie en het hoofd van politie.
Bij onderhandelingen met Nippon volgde het hoofdbestuur zonder ruggespraak eigen initiatief en nam zelf beslissingen. Voor het overige werden de belangrijkste onderwerpen ter vergadering besproken en de stemming der vergadering besliste over de oplossing der voorkomende vraagstukken. Veelal vertegenwoordigde de blokleidster de mening van haar blok, een enkele maal was stemming in het kamp nodig. De samenwerking tussen Hoofdbestuur en blokleidsters mag bijzonder goed genoemd worden. Daaraan is het ook te danken, dat voor de ettelijke geschillen die in deze maatschappij heersten uiteindelijk toch een bevredigende oplossing werd gevonden, hetgeen bij de vele partijen, voortvloeiend uit de verschillende rassen en standen in dit kamp samengebracht, lang niet gemakkelijk was. Velen waren het vaak niet eens met het beleid van Hoofdbestuur of Keukencomité, aan de blokleidsters was dan de taak de mening van de ontevredenen aan het Hoofdbestuur voor te leggen. In de beperkte vergadering van Hoofdbestuur en blokleidsters werd dan naar een oplossing gezocht.

Om de geïnterneerden te beschermen tegen eventuele willekeur van bestuur of blokleidsters, werd een rechtscommissie in het leven geroepen, met een juriste als voorzitster. Deze commissie werd op voordracht van het bestuur officieel benoemd door de Resident. Zij behandelde civiele, zowel als criminele zaken.
Naderhand werd de behoefte gevoeld aan een *commissie voor hoger beroep*. De geïnterneerden wilden daartoe het hoofdbestuur inschakelen. Het bestuur echter gaf de voorkeur aan een neutrale commissie, opdat ook tegen maatregelen van het bestuur verzet zou kunnen worden aangetekend. Beide commissies voorzagen in een dringende behoefte.
De werkzaamheden van de *financiële commissie* werden hier uitgebreid met de taak van controlecommissie bij de voedseldistributie. Later werd hen ook door de Resident de voorbereidende administratie voor uitbetalingen na de oorlog opgedragen. Men verkeerde namelijk steeds in de mening, dat de gedurende de internering bestede gelden na de oorlog zouden worden gerestitueerd, zoals destijds was toegezegd. Daartoe waren voor elke geïnterneerde steeds de betalingskaarten bijgeschreven.
Al spoedig bleken de moeilijkheden bij sterfgevallen, wat betreft de nalatenschap van de overledenen. De eerste malen vroeg Nippon deze onmiddellijk op. Later moest alles naar de Weeskamer te Padang worden gezonden.
Dit is gebeurd, doch na enige tijd kwam alles ongeschonden terug. Ter regeling van deze nalatenschap werd toen een commissie benoemd. Deze *nalatenschapscommissie* vervulde haar taak in nauwe samenwerking met de leden der vroegere Padangse Weeskamer in het mannenkamp. Zij beschreef de boedel en stelde een bewaarmeester aan. In overleg met de in het mannenkamp verblijvende notaris konden noodtestamenten worden opgemaakt door een vrouwelijke kandidaat-notaris. Toen de nood in de kampen te Bangkinang op het hoogst gestegen was, machtigde de Resident het Hoofdbestuur om uit alle nalatenschappen, die goederen te requireren, die voor het kamp of minvermogenden noodzakelijk waren. Op deze wijze konden velen aan het hoogstnodige geholpen worden. De goederen werden daartoe getaxeerd door de beëdigd taxatrice van de Weeskamer op de

waarde dezer goederen ten tijde van het jaar 1942, waarna dan de rekening met 4 × het bedrag werd bijgeschreven, ter eventuele uitbetaling aan de erfgenamen.
Het *pasarcomité* richtte ook hier weer, evenals in Padang, pasars in. In het begin bestond hiervoor veel animo, tot de verkoop over de schutting zulke bedragen opbracht, dat het houden van een pasar geen zin meer had. Toen evenwel de smokkelhandel nagenoeg onmogelijk was geworden, en de verkoop op de pasar niet genoeg zou opleveren, ging men over tot het houden van loterijen. Deze werden geregeld door de *loterijencommissie,* die aantal en prijs der loten bepaalde en de trekking hield. Deze loterijen waren dermate in trek, dat men soms 5 maanden of langer moest wachten, voor men aan de beurt kwam. Urgente gevallen kregen voorrang, zulks ter beoordeling der commissie in overleg met de blokleidsters, eventueel met het Hoofdbestuur. Slechts aan hen, die werkelijk in geldnood verkeerden werd toegestaan een loterij te houden.
Een *verkiezingscommissie* leidde de 3- en 6-maandelijkse verkiezingen van de onderblokleidsters, blokleidsters, keukencomité en Hoofbestuur.
De *politiedienst* werd eerst in Bangkinang ingesteld en was noodzakelijk aangezien er gebrek aan discipline in het kamp heerste, en bovendien diefstallen e.d. bij toenemende honger steeds veelvuldiger voorkwamen. In het kamp te Padang gaf het herhaaldelijk niet naleven der kampvoorschriften reeds aanleiding tot veel ergernis. Men wilde thans met de oude sleur breken en een kamppolitiedienst werd ingesteld. Deze bestond uit een Hoofd van Politie met een corps van ± 30 dames. Deze dames liepen op geregelde uren wacht, bekeurden overtredingen en brachten een en ander voor, in het begin bij het Hoofdbestuur, na de instelling der rechtscommissie bij deze commissie.
Het Hoofd van Politie vervulde bij de rechtszitting de taak van ambtenaar O.M. Zij leidde het vooronderzoek bij diefstallen enzovoorts. Bij haar werden aanklachten e.d. ingediend.
Het politiecorps had een moeilijke en vaak onaangename taak in het kamp te vervullen, doch heeft zeker medegewerkt om de orde en rust te handhaven.

Tijdens de internering werd een zending voedingsmiddelen en medicijnen van het Internationale Rode Kruis door Nippon aangekondigd, doch door het kamp nimmer ontvangen. Wel werd in december 1942 *f* 2.000, – ontvangen door bemiddeling van de Zwitserse consul, doch Nippon hield die in van het daggeld. In juni 1944 werd uit Rome een bedrag van *f* 300, – gezonden en in oktober daar aan volgend liet de Nederlandse regering te Londen een bedrag overmaken van *f* 1250, – voor de Engelsen en *f* 20.228,12 voor de Nederlandse geïnterneerden. Dit kwam neer op resp. *f* 12,40 en *f* 9, – per persoon. Deze bedragen werden door Nippon inderdaad gestort.
Na de wapenstilstand werden van het Australische en Brits-Indische Rode Kruis en St. John zendingen ontvangen.

Een van de ergste kwellingen van de internering was, te leven in een tijd vol van de belangrijkste gebeurtenissen, doch zelf gedoemd te zijn tot werkloos afwachten, verstoken van elk contact met de buitenwereld. Deze morele kwelling was erger dan de honger; het vereiste groot doorzettingsvermogen om ondanks geestelijke en lichamelijke ontbering het hoofd hoog te houden.'

Bangkinang-hallucinaties
'O, ik snak naar pisang goreng, weet je wel, zó uit de pan.'
'Kind, of brood met kaas of suiker.' 'Ikke naar een bord ketan.'
'Hè nee, ik voel meer voor biefstuk.' 'Ik op dit moment voor taart!'
'Ja zeg, of macaronischotel.' 'Bruinebonensoep met staart!'
'Hè, of boerekool met worstjes, of zo'n fijne vispastei.'
'Of een bende sandwichbroodjes, dikbelegd met ham of ei!'
'Of een fris tomatenslaatje, daarin heb ik nou zo'n trek.'
'Ik wil aardappelpuree met groenten en een lekker stuk zout spek.'
'En ik hunker zo naar bami, naar die echte, tjap Chinees.'

'Och, en ik ben al tevreden met een homp gebraden vlees.'
'Ik met gado-gado, weet je. Hmm! met petjilsaus erop.
'Ach, en ik droom van in ketjap bruingebakken varkenskop.'
'Ik heb liever ajam kodok!' 'Nou, maar ik een omelet.'
'Ik beschuit of warme bollen, krentebrood of een kadet.'
'Nou, als men mij eens liet kiezen, ik koos rijstrand met haché.'
'Ik nam vast en zeker vruchten.' 'Nasi rames met saté.'
'Ik heb zin in koude melk, of een glas aer djeroek.'
'Of een kop ovomaltine.' 'Koffie-ijs met wafelkoek.'
'Ik verlang naar boeboer soemsoem, ruim in santen opgekookt,
en dan flink met goela djawa!' 'Ja, hè ja, dat lijkt mij ook.'
Kijk, zo lopen de gesprekken in ons kamp te Bangkinang.
Ik zal het verder maar niet rekken, maar je weet er alles van.
Altijd maar weer over eten. Laat je fantasie maar gaan.
En je kunt jezelf wel rossen voor wat je eenmaal thuis liet staan.
Vroeger, ja. Maar in de toekomst: slimmer zijn is ieders plan.
Dankbaar zal men nu al wezen als men volop eten kan.
Nee, geen dure lekkernijen. Gewone droge rijst met vis
zal een koningsmaaltijd wezen, als het maar voldoende is.
Eventjes nog wat geduld maar, met je schrale kampse hap.
Bijna krijg je ander voedsel dan je daagse 'lontongpap'.
Denk maar, dat dit onze straf is voor ondankbaarheid van her.
Als men deze les geleerd heeft is het einde niet meer ver.

Voedsel is een zeer belangrijk onderdeel in een mensenleven. Juist toen er gebrek aan was sprak men er voortdurend over. De vrouwen wisselden eindeloos recepten uit. Het ermee bezig zijn kon al afleiding betekenen. En de nauwkeurigheid waarmee men zich in de recepten inleefde, maakte dat je letterlijk watertandde.

Als ik m'n malaria-aanvallen had, kon ik ook zo van mijn fantasiemaaltijden genieten; hoewel andere zieken meestal geen eetlust hadden, had ik dat wel. En hoe ziek ik ook was, ik probeerde me voor te stellen, dat ik een bord vol eten voor me had. Geen uitgelezen spijzen, maar het eenvoudigste was goed genoeg, mits voldoende. Ik concentreerde mijn gedachten zo sterk op dat verlangen, dat ik hap voor hap mijn wens-rijst-met-zoute-vis proefde; ik kauwde langzaam en slikte echt, en verbeeldde me, dat ik mijn bord leeg at. Voor iemand, die nooit met het echte hongergevoel te maken heeft gehad, moet zo'n situatie gewoon krankzinnig lijken.
Ook concentreerde ik me op iets concreters, n.l. op de gedachte dat er zo dadelijk iemand zou komen om me iets te eten te brengen. Terwijl ik lag te klappertanden of te rillen van de koorts speelde ik onophoudelijk met die gedachte. En dan ineens: 'Nú komt het!' Even later hoorde ik het trapje aan mijn voeteneind kraken en kwam er een hoofd boven de rand van mijn tampat uitsteken. Een hand legde wat rauwe pinda's bij me neer. Voor ik bedanken kon was de goede geefster al weg. Het was een meisje uit het weeshuis, of zij zelf smokkelde weet ik niet, ze was wel bevriend met routine-smokkelaarsters. Ik had haar wel eens, op haar verzoek, een beetje wegwijs gemaakt in de stenografie, zoals ik die op school geleerd had. En voor dat beetje aandacht dat ik aan haar besteed had wilde ze me op deze manier iets terug doen. Dit gebeurde een paar malen precies op dezelfde manier.

Wanneer je niet uitsluitend aan voedsel dacht, waren je gedachten maar weer bezig met het verleden, toen je met het voltallige gezin samenwoonde in een normale tijd met huiselijke gezelligheid; toen kinderen naar school toe konden en de ouders hun arbeid hadden. Allemaal voorrechten, waar vroeger maar klakkeloos aan voorbij geleefd was, omdat het vanzelfsprekende dingen waren.
Het idee dat er toen geen kleding- en voedselproblemen waren voor de meesten van ons, dat je in een echt huis woonde, in een goed bed kon slapen, op een stoel aan tafel kon zitten, met mes, vork en lepel uit porceleinen borden kon eten, en uit fijne kopjes kon drinken! Alles zo onvoorstelbaar gerief-

lijk. Ook de privé-badkamer met toilet van vroeger leek nu ongekende weelde.
Veel werd ook teruggedacht aan de ontspanning, die we toen hadden: boeken om te lezen, muziek om naar te luisteren of zelf te spelen, toneeluitvoeringen, bioscoopfilms en radiohoorspelen. Dat we sport en spel konden beoefenen naar hartelust, het leek een vorig leven, ver, ver achter ons en wat hunkerden we hier naar ook maar een fractie van dat alles.
Ook misten we de bloemen en de dieren, de zwammen, de schelpen en de stenen, alles van de natuur ontbrak hier. Als iemand van het tuin- of houtcorvee in de bossen één of ander bloemetje of paddestoel vond en in het kamp wist te smokkelen, kwam iedereen er verlangend naar kijken, als naar iets vertrouwds uit het voorgoed voorbije verleden.

Droombeeld

Ik droom intens een mooie droom van rustig, vredig leven
in eigen huis, bevoorrecht om te ontvangen en te geven
van liefdeblijk in alle vorm: een woord, een blik, een lach,
een stil gebaar; zoveel geluk dat je gebruiken mag.
'k Droom hunk'rend van een toekomstbeeld, dat oude fouten wegvaagt.
Gelouterd aan een nieuw begin. Aan God de kracht gevraagd.
De houding onderling vernieuwd, waarderend elkaars pogen
om te begrijpen en verstaan, elkaars geluk voor ogen.
Méér spreken, echt van hart tot hart, niet zomaar langs elkaar heen.
Intiem contact moet steeds bestaan. Dán zijn we allen één.
O, droombeeld, wordt toch werkelijkheid. Ik snàk naar de onthulling
van 't leven, dat nog voor ons staat. 'k Bid God om de vervulling...

Ondertussen was de werkelijkheid vol van onbegrip en dikwijls waren er ook ernstige misverstanden. Op een keer is het

vrouwenkamp door zo'n misverstand bijna tot iets rampzaligs gedoemd geweest.
Een Koreaanse kampcommandant had in gebroken Maleis beweerd, dat hij met het kamp kon doen wat hij wilde. Anderhalf uur lang hebben de dames Holle en Huijsmans met hem gepraat om hem te overtuigen, dat dit op een misverstand berustte. 'Djangan mengerti salah – begrijpt u het niet verkeerd,' hebben zij steeds weer moeten herhalen. Tot het gevaar eindelijk afgewend was. Doodmoe merkte mevrouw Holle op: 'Nu heb ik eindelijk het gevoel, dat ik persoonlijk heb meegevochten in deze oorlog!'

Toen de droge maanden aanbraken was er nog een ander gevaar: bosbrand. Een paar keer kwam het vuur angstig dicht bij ons kamp. Als de vonken zouden overwaaien en onze kurkdroge houtbarakken met de atap-daken vuur zouden vatten zou het op een afschuwelijk treurspel zijn uitgelopen, opgesloten als we waren.
We stonden echter paraat. Elke teil of emmer hielden we vol water. En iedereen die maar even kon stond op haar post. We vormden een ketting, waarlangs de water-emmers van de badkamers tot aan de schutting aan de brandzijde van hand tot hand werden doorgegeven. Die schutting werd kletsnat gehouden. Langs een andere rij kwamen de lege emmers weer terug om opnieuw gevuld te worden.
Degenen die hiervoor te zwak waren maakten zich nuttig door op de uitkijk te staan en direct te melden als er ergens iets begon te smeulen. Eenmaal werd ons kamp van twee verschillende kanten door bosbranden bedreigd. En ze waren akelig nabij. We hebben toen constant volgehouden de atap-daken van de barakken en de houten schutting nat te gooien, totdat het gevaar geweken was en de beide bosbranden geblust. 'Bij een andere brand ging het op het kritieke ogenblik plotseling heel hard regenen, waardoor het gevaar werd afgewend.
Op een nacht sloeg de bliksem in het dak van de badkamers, juist recht tegenover de hospitaalbarakken, zodat er paniek onder de patiënten uitbrak. De verpleegsters konden hen op bewonderenswaardige wijze kalmeren en er werden dadelijk vrijwilligsters gevonden om de zieken naar een andere barak

te evacueren, terwijl de vrouwen en meisjes van de brandweerploeg onmiddellijk op hun post stonden en de emmers water snel aangereikt werden.'
Gelukkig hadden we op dat tijdstip juist een Japans luitenant of onderofficier op wacht met verantwoordelijkheidsgevoel, ik meen dat het Doi was, die persoonlijk tot aan de vuurhaard op het dak klom en eigenhandig de brand bluste, zodat ook deze ramp werd afgeweerd.

Als iemands oren zó toegespitst zijn om het geluid op te vangen van een naderende vrachtauto, die mogelijk voedsel komt brengen, hóórt men dat voertuig ook lang voordat het in zicht komt.
Op een dag hoorden wij het geluid van een zware motor. In spanning luisterden allen... Neen, hij ging voorbij zonder voedsel af te laden. De teleurstelling was groot. Maar hoor, daar kwam er nog een aan. En toen ineens gonsde het nieuws door het hele kamp: 'Het zijn blanke krijgsgevangenen, die in vrachtauto's worden vervoerd!' Het was alsof er een siddering door het kamp ging. En toen brak er een donderende opgewondenheid los, die aan roekeloosheid grensde. De vrouwen van wie de mannen nu twee jaar geleden krijgsgevangen gemaakt waren, hadden in al die tijd nog geen bericht gehad, waar ze heen gebracht waren. Ze wisten niet of ze nog leefden of al lang gestorven waren. En hier ging nu een konvooi blanke krijgsgevangenen voorbij.
Als mieren bestormden de vrouwen en kinderen de schutting. Ze klauterden langs de vingerbrede planken, die elkaar overlapten, zo'n 5 meter omhoog. Ze móésten eenvoudig de passerende vrachtauto's zien. Hun mannen konden er bij zijn.
De Japanse commandant schreeuwde zijn bevelen. Maar niemand luisterde. Hij werd razend en probeerde vloekend de vrouwen van de schutting te trekken. Maar niets op aarde kon deze vrouwen nu keren. Ze voelden de klappen van de commandant niet eens, of trapten als in een reflex terug.
De schutting begon te kraken en wankelde onder het mensengewicht. De woedende kampcommandant riep de dames van het hoofdbestuur bij zich en sloeg hen links en rechts in het gezicht, omdat ze geen moeite deden om de geïnterneer-

den tot de orde te roepen. Ze gaven er niet om. Integendeel. Rustig vroegen ze hem, of hij dacht dat de vrouwen hen eerder zouden gehoorzamen, dan hem, de kampcommandant of zijn strenge agenten? Hij zag toch zelf dat niemand nu op wat voor bevel dan ook acht zou geven. En was dat ook niet te begrijpen bij deze kans om misschien een glimp op te kunnen vangen van hun mannen, na jaren van scheiding?
'Maar de schutting zal dadelijk bezwijken,' sprak de Japanner zijn vrees uit. En het was hem aan te zien, dat hij geen raad wist wanneer er iets van dien aard zou gebeuren. Hoe moest hij dat bij zijn meerderen verantwoorden?
Toen raadde mevrouw Holle aan: 'Waarom laat u niet toe dat de vrouwen buiten de hekken gaan staan, achter het prikkeldraad? Dat zal de redding zijn van de schutting. De enige mogelijkheid.' Dat gebeurde. De commandant opende zelf de poorthekken en commandeerde dat iedereen naar buiten moest, maar degene die zich naar de buitenkant van de prikkeldraadversperring zou begeven, zou zonder pardon neergeschoten worden. Iedereen stond al gauw reikhalzend buiten de schutting naar de volgende vrachtauto uit te zien. De mannen leken verdwaasd en zeer verrast om hier midden in het oerwoud, zover van de beschaving af, op een Hollands vrouwenkamp te stuiten. De Brits-Indische chauffeur van een auto probeerde vlak voor het kamp motorpech voor te wenden. Maar dat kon hij maar een paar minuten volhouden, toen stond er al een kwade Japanner bij hem en spoorde hem dreigend aan de vaart er in te zetten.
Het was irriterend moeilijk om iemand in zo'n korte flits te proberen te herkennen. Toch gebeurde het, dat een man en een vrouw elkaar in een oogwenk tussen de anderen herkenden. Harten dreigden stil te staan, zo'n schok gaf dat moment... Lippen riepen een naam. Ogen zochten nog verlangend, maar het ogenblik was voorbij. Tot de laatste vrachtauto bleven de vrouwen en kinderen buiten staan. Het was etenstijd, maar niemand dacht daaraan.
Nog twee achtereenvolgende dagen kwamen er van deze transporten langs, richting Pakan Baroe. Sommigen hadden bekenden herkend.
'Ik heb Pappie gezien! Ik heb Pappie gezien!' juichte een klein meisje en haar moeders ogen schoten vol.

'Was het werkelijk Pappie? Ik heb hem niet gezien, maar als jij het zeker weet, weet ik tenminste, dat hij nog leeft.'
Er werd in deze dagen weer meer gelachen in het kamp. De humor leefde weer op. De gesprekken gingen voornamelijk over de krijgsgevangenen. Al had niemand er een vermoeden van waarheen ze op weg waren was het toch van het grootste belang dat ze gezien waren. Het leven was weer de moeite waard om geleefd te worden.

De toestand in het kamp ging hoe langer hoe meer achteruit. Door de honger verzwakt kon het lichaam geen weerstand meer bieden tegen allerlei ziekten. De sterfgevallen namen toe. De hospitaalbarakken waren veel te klein en slechts wanneer men in doodsgevaar was kwam men in aanmerking voor opname in het hospitaal.
De patiënten in de ziekenbarakken waren voornamelijk oedeemgevallen, uitgemergelde geraamten met afzichtelijke gezwellen. Zo lang ze nog lopen konden moesten ze wel op hun tampat blijven, maar als ze zich niet meer konden voortslepen, doordat hun roodgloeiende benen tot onwillige zuilen opgezwollen waren, en elke vingerafdruk een kuiltje in het vlees naliet, gingen ze het hospitaal in. Deze vreselijke hongerziekte bracht in het ergste stadium algehele verlamming. Het was voor de verpleegsters, die toch ook in dezelfde slechte conditie verkeerden als alle anderen, een hele hijs om deze loodzware patiënten te tillen.
Ik heb ook eens enkele weken met dysenterie in de hospitaalbarak gelegen. Met mijn linker buurvrouw had ik fijne gesprekken. Ze was zo blijmoedig, hoewel ze zich niet meer zelf kon omdraaien. Er moesten altijd twee verpleegsters helpen.
Op een ochtend lag ze op de andere zijde, dan die waarop ze de nacht inging. En geen verpleegster was er aan te pas gekomen. Het was een puur wonder. Men moest wel aannemen, dat ze zich in haar slaap zelf omgekeerd had. Wat was ze blij met deze vooruitgang. Ook met het voorrecht, dat een van haar dochters tot de verpleegsters hoorde.
Helaas betekende die ene keer van terugkomende krachten toch geen genezing voor deze dappere vrouw. Zij ging een paar weken later kalm heen.

In het hoekje lag een zieke non, zó broos en teer, of ze een onvolwassen kind was. Ze keek toen al met ogen, die iets hemels uitstraalden, zoals bij Johnny in het M.V.-gebouw, en zoals ik ze later bij andere stervenden zag. Ik denk aan Rietje, van twintig, en Noortje, die maar achttien werd. Ver weg en dóór alles heen kijkend met een klaarheid, niet meer van deze aarde.
In deze barak lagen we geïsoleerd. We mochten geen bezoek hebben. Soms zag ik vanuit het raampje in de verte mijn moeder en zusjes staan. Dan lachten en zwaaiden we wat naar elkaar. Gerda, en een lieve P.J.C.-vriendin, Emmy, zorgden dat ik heuse post kreeg. Elk snippertje papier dat ze vonden werd omgezet in een brief. Die werd aan een zuster meegegeven en zo kreeg ik 'm dan. Zielsgelukkig was ik er mee, al mocht ik zelf nooit terugschrijven vanwege het gevaar van besmetting. Maar er was verder immers niets te lezen in het kamp, omdat er maar een paar boeken meegenomen konden worden. En juist toen ik in het hospitaal lag, maakte ik het uitzonderlijke geval mee, dat iemand een boek aan de ziekenbarak schonk of leende. Dat was pure luxe. En wat heb ik genoten van Jan de Hartogs *Hollands Glorie*. Het voerde mij in gedachten regelrecht het kamp uit. Ik zag de golven, rook de zeelucht en proefde het zout om de lippen. Zo lang ik las, was ik de bestaande omstandigheden volkomen ontvlucht. Er ging voor mij een frisse bries door die muffe dysenteriebarak.
In het hospitaaltje lagen veel patiënten met ongeneeslijke tropische zweren, een stuk of wat t.b.c.-patiënten en enkele gevallen van malaria tropica, die de patiënten in het hoofd geslagen was. Er was ook een plekje voor noodgevallen gereserveerd, want in een ruimte waar te veel mensen opeengepakt moesten leven kwamen vanzelfsprekend ook wel eens ongelukken voor. Ik denk ineens terug aan het zusje van Emmy, dat een pan kokend water wilde wegzetten op de bovenste verdieping van hun tampat, hem ergens tegen stootte en de inhoud volledig over zich heen kreeg.
'Vertel het voorzichtig aan Mamma,' vroeg het kind nog aan degenen die haar hielpen. Het is gelukkig allemaal goed gekomen, al heeft het maanden geduurd, en voor sommige plekjes wel jaren, voordat ze geheeld waren.

We hadden twee flinke vrouwelijke artsen in het kamp: de Australische dr. Lyon en de Nederlandse dr. Einthoven. In heel ernstige gevallen kregen zij toestemming de chirurg uit het mannenkamp te raadplegen. Op zo'n dag werd er met touwen een pad afgebakend vanaf de poort tot aan het doktershuis, waarlangs de dokter met zijn helpers moest lopen. De vrouwen moesten achter de touwen blijven en mochten niet met de mannen praten. Toch werd op de een of andere manier bij zo'n uitzonderlijke gelegenheid zeer handig een pakje brieven van en voor het mannenkamp over en weer meegesmokkeld.

In het mannenkamp hoorde een speciale grafdelversploeg tot de nodige corvees. Het kerkhof lag precies op de helft van de afstand tussen beide kampen, op een plek in het bos waar men eerst de bomen moest rooien.
In geval van sterfte in een van de twee kampen mochten de naaste bloedverwanten de kist soms een eind vergezellen, dan nam de graversploeg die over en vond de begrafenis plaats. Ook hier mocht men niet met elkaar spreken. Maar met de overhandiging van de kist gingen ook altijd briefjes over en weer. Het stuitte ons eerst tegen de borst om van zo'n gelegenheid misbruik te moeten maken. Maar dit was dikwijls de enige manier in tijden om contact met elkaar te krijgen. Natuurlijk bestond er ook altijd het gevaar, dat de postverbinding ontdekt zou worden en de briefbezorgers de strengste straffen zouden krijgen, wat gelukkig nooit gebeurd is.
Hoewel de graversploeg altijd op de hoogte gesteld werd dat er een nieuw graf gegraven moest worden, wisten ze bijna nooit vooruit wie ze eigenlijk moesten gaan begraven als het iemand uit het vrouwenkamp betrof. Het was voor Nippon blijkbaar een genot om de mannen tot het uiterste moment in spanning te laten daaromtrent.
Bij de graversploeg was op een dag ook een jongeman ingedeeld, een knaap van nauwelijks zestien jaar, met blond haar en blauwe ogen. Zijn vader was als krijgsgevangene naar Birma weggevoerd. Zijn moeder was met zijn broertjes en zusjes in het vrouwenkamp. Hij zorgde in het mannenkamp voor zichzelf, zoals alle jongens die geen verwanten in

het mannenkamp hadden. Ze waren op zichzelf aangewezen in de hardheid van het kampleven, al waren ze soms ook nog kinderen in leeftijd. Het was een zegen als die eenzame jongens onder de hoede van een vaderlijke vriend kwamen, maar de meesten hadden dat voorrecht niet. In hun eentje overgeleverd aan de egoïstische strijd om het bestaan, in de beperkte ruimte van het hongerende mannenkamp, rijpte menige jongen van kind tot man, zomaar ineens, zonder de normale puberteit, zonder ouderliefde, zonder vertrouwenspersoon om naar te luisteren, of die naar hen wilde luisteren.

Op zekere dag liep deze jongeman met de graversploeg mee tot aan het kerkhof. Het was geen prettig idee om weer een graf te delven voor iemand uit het vrouwenkamp, zonder te weten voor wie. Zou er weer post uitgewisseld kunnen worden bij het uitdragen van de kist uit de kar? Hij hoopte van harte, dat er weer een briefje van zijn moeder bij zou zijn. Daar naderde de begrafenisstoet in de verte. Een tweewielige wagen door een sjokkerig paard getrokken. Vier vrouwen liepen er bij en drie gewapende wachten. Ze naderden. De mannen tuurden scherp of ze iemand van de vrouwen ook herkenden. Ze liepen ze tegemoet in eerbiedig zwijgen. Dan waren ze zó na, dat ze elkaar herkenden.

Met een ruk stond de jongen stil en het bloed trok uit zijn gezicht weg, terwijl zijn blik de afmeting van de kist peilde. Toen herkenden ook de andere mannen in het jonge meisje, dat bij de vrouwen stond, het zusje van de jongen. En aan het gebaar waarmee de vrouwen haar steunden merkten ze, dat zij het was, die haar dode moest afstaan. Woorden werden niet gewisseld; toch wist elk nu dat het de moeder was, die ze vandaag moesten begraven. Als het een broertje of zusje geweest was, dan zou de kist van kleiner formaat geweest zijn. In doodse stilte stond het groepje een paar seconden bij de wagen met de kist. Toen verbrak de dienstdoende Japanner het eerbiedige ogenblik met zijn rauwgeschreeuwde bevelen om voort te maken met de bezigheid.

De mannen en vrouwen waren hun ontroering niet meer meester. De jongen stond daar, lam geslagen, de handen tot vuisten gebald langs zijn lichaam, zijn kaken stijf op elkaar; zijn ogen staarden droog naar de kist, waarin zijn moeder moest liggen. Een siddering ging door hem heen. Een zware zucht werd hoorbaar. Toen ontspande zijn houding zich, en als eerste stapte hij nader om zijn plicht te doen, en daarmee ook het laatste wat hij op aarde nog voor zijn moeder kon doen.

Op een nacht klonk er onverwachts een ijzingwekkend geschreeuw door de stilte, dat alle vrouwen in de barakken deed opvliegen van hun tampat. Er was een hardloperij aan de gang en rumoer bij het Japanse kantoor aan de poort. Barse bevelen en het scheldwoord 'Bagéro' klonken herhaaldelijk. En dreunende voetstappen, die naderbij kwamen en weer hard weg renden. Geschreeuw en lawaai om de barakken heen. Op de harde planken in de barakken lagen of zaten de vrouwen en kinderen in doodsangst. Wat was er gaande? Niemand wist het. Totdat er iemand gejaagd uit de badkamers kwam rennen, die het wél wist.
'O...' kreunde het meisje. 'O... o...' Ze hield haar beide handen voor de mond.
'Kind, práát toch! Wat gebeurt er?' werd er van alle kanten angstig geroepen. Toen kwamen de woorden hortend, maar als een vuur gingen ze het hele kamp door, alle barakken rond. Er waren een paar mannen uit het mannenkamp ontsnapt om hier hun vrouwen te ontmoeten. Hun namen werden genoemd. Hoe ze het gedurfd en voor elkaar gekregen hadden om eerst vier bewakers van hun eigen kamp en daarna vier van het vrouwenkamp te omzeilen, bleef een raadsel. Nadat ze achter de badkamers hun vrouwen hadden ontmoet maakten ze aanstalten om terug te gaan, toen een paar meisjes die van de w.c.'s kwamen van de sluipende gestalten schrokken. Ze dachten in eerste instantie, dat het een tijger gelukt was binnen de schutting te komen. En ze gilden in paniek. Daardoor werd de Japanse wacht gealarmeerd, die er achteraan ging. De mannen werden gegrepen.
Wat ging er nu me hen gebeuren?
Hoor, hoe de zweep van de Japanner zwiepte. Enkel het geluid van die vreselijke zweepslagen op een menselijk lichaam. En de woeste kreten van de Japanner. In de barakken wachtte iedereen ademloos wat er verder gebeuren zou, de ogen wijd starend van angst, de handen krampachtig in

elkaar geklemd. Hoe lang ging dit duren? Sloegen ze die mannen nu ter plekke dood? Dit gebeurde echter niet. Wel werden ze na de tuchtiging weggebracht naar de Kempei Tai, de beruchte Japanse Militaire Politie met de gestapo-praktijken.
Later vernamen we, dat de drie mannen pas na 3 weken weer vervoerd konden worden naar het mannenkamp. Het was nog een wonder dat ze dit avontuur niet met de dood moesten bekopen.

1 oktober 1944. Een stralende, mooie dag. Er heerste grote opgewondheid in het kamp, want de wachtcommandant had een dik pak brieven meegebracht, die hij aan de dames van het bestuur overhandigd had. Brieven door de officiële post bezorgd, dat waren brieven uit de krijgsgevangenkampen. Dadelijk zouden die aan de betreffende vrouwen worden uitgereikt. De schare verdrong zich reeds bij het kantoor, waar de post gesorteerd werd. Drie maanden geleden waren de transporten van de krijgsgevangenen het vrouwenkamp gepasseerd, en dit was nu het eerste levensteken sedert die dag.
Er was een angstige spanning tijdens het wachten: waarom duurde het zo lang, voordat de brieven werden uitgedeeld? De opgewonden stemmenroes verstomde ineens toen de deur van het gebouwtje geopend werd en de dames van het bestuur zich vertoonden. Maar er klopte iets niet: er was een totale afwezigheid van de spontane blijdschap en het warme meeleven, waarmee zij gewoonlijk de sporadische post uitdeelden. Er viel een ijzige stilte na het gespannen wachten. Met klemmende ernst werden de namen genoemd van de verschillende krijgsgevangenen-vrouwen. Zodra die het kantoortje binnentraden werd de deur achter hen gesloten voor de ogen van de nieuwsgierigen, die al lang door hadden, dat er iets ontzettend mis was.
Men bleef buiten vol belangstelling wachten. En toen, na een stilte van een paar minuten, kwam er vanuit het kantoor een uitbarsting van door smart verwrongen vrouwenstemmen. Een mengeling van uitroepen in opperste vertwijfeling... Een wilde en verwoede aanroeping van Gods naam. Een doffe, klankloze stem, die onophoudelijk één woord

herhaalde: dood... dood... dood... Een vuist, die telkens op een tafelblad sloeg. Gekerm en gesnik. Iemand, die de naam van haar man uitschreeuwde.
Het hele kamp was murw geslagen. De tijding, dat een boot met krijgsgevangenen tijdens een transport overzee getorpedeerd en gezonken was, vervulde ons allen met panische angst en diep verdriet. Het betrof de Van Waerwijck, toen varend onder de naam Junyo Maru, die door de geallieerden vernietigd was, zoals later pas bekend werd. Toen wisten we alleen, dat het eerste 'levensteken' van de krijgsgevangenen eerder een teken des doods genoemd kon worden. De brieven bevatten lijsten van namen van omgekomen mannen. De overlevenden gaven die door. De Japanners namen nooit de moeite doodsberichten aan de familieleden over te brengen.

In die tijd ontstond een dankbare bodem voor spiritisme. Maar de predikant mevrouw Hunger en haar gemeenteleden streden daartegen, door gebedssamenkomsten te regelen op momenten, waarop het spiritisme bedreven werd. Er werd geconcentreerd het Onze Vader gebeden. En met succes.

We grepen elke afleiding gretig aan om onze tijd door te komen. Er werd van de kant van onze bezetters helemaal niets ondernomen voor de ontspanning van de geïnterneerden, dus moesten we zelf iets verzinnen om het moreel hoog te houden.
Er was een zandterreintje waar gevoetbald kon worden, als er een bal was. Daar werd ook wel aan gymnastiek gedaan, onder leiding van Grace van de Pol. En mevrouw Mol deed er spelletjes met haar padvinders.
Ook werden er lezingen en voordrachten gehouden, die we als droge sponzen bij een waterplas opslorpten, omdat die het enige facet van cultuur waren, dat ons restte. Mevrouw Zijlstra hield literaire avonden, en eerder genoemde mevrouw Mol hield boekbesprekingen; alles uit het blote hoofd, want boeken om in na te slaan waren er natuurlijk niet. Ik herinner me een boeiende serie voordrachten over het boek *Gone with the Wind* van Margaret Mitchell, waarbij ons koortje vooraf een paar liederen zong, betrekking

hebbende op de oorlogssituatie ten tijde van de strijd tussen Noord- en Zuid-Amerika en die bij het uitbreken van onze eigen oorlog nogal populair geworden waren: 'Keep your homefires burning' en 'When this cruel war is over, pray that we shall meet again.'
Er werden ook enkele malen toneel- en cabaretavonden gehouden, waarvoor we wel toestemming vooraf moesten vragen aan de kampcommandant, en die kregen we ook meestal wel, waarschijnlijk omdat zo'n avond onze bewakers zelf ook wat afleiding gaf, al begrepen ze er ook geen woord van. Ze hadden midden in de rimboe natuurlijk ook niet al te veel vertier.
Het was een zeldzame gewaarwording aan zo'n uitvoering deel te nemen of hem gewoon bij te wonen. Hoe eenvoudig ook van opzet, we genoten er altijd dubbel van: eerst bij de repetities en later de uitvoering zelf. Daar had je Hettie van Dongen met haar eigentijdse cabaretliedjes. (Zouden die niet meer te achterhalen zijn? Van 'Een, twee en buigen moet je voor de Nipponsoldaat' enz.) Ook anderen hadden een belangrijk aandeel aan het cabaret.
We hadden een drietal solodanseresjes: Joke Burghout (haar old lady op gymnastiekles was onnavolgbaar knap), Ietje Dekker (ook leidinggevend aan ons P.J.C.-zang- en toneelgroepje) en Beppie Poortman, die in fijne aanvoeling samen en afzonderlijk dansen uitdachten bij het ukelele-spel van Lieke Apitule. In soepele gratie gaven zij uiting aan hun zuivere inspiratie.
De toneelgroep voerde eens het sprookje op van de prinses en de zwijnehoeder. Het was altijd spannend hoe we aan een decor en kostuums moesten komen. Als prinsessegewaad mochten we de zilverkleurige housecoat van mevrouw Van Konijnenburg lenen.
Met Oudejaarsavond hadden we zelfs een Thomasvaer en Pieternel op de planken en waren er ook nog andere zelfgeschreven sketches.
Verder was er meerdere malen ook groeps- of solozang. We kenden gelukkig veel liederen uit *Kun je nog zingen, zing dan mee* uit het hoofd. Vooral de frisse lenteliederen hebben veel harmonie en zelfs sfeer gegeven in de moeilijke kampomgeving.

Ons kamp was bevoorrecht omdat we mevrouw Hunger als predikant in ons midden hadden. Behalve de hervormde kerkdiensten waren er ook wekelijks de rooms-katholieke diensten. Verder waren er ook nog andere kerkgenootschappen, waarvan de leden zich voegden bij die groep waar zij zich het meeste thuis voelden. Dáár proefden we reeds iets van de oecumene. Het was opmerkelijk, dat bij de rooms-katholieke jeugd nauwelijks activiteiten waren. Ze zeiden ons ronduit dat ze zich zonder hun prachtige kerken en beelden nogal beroofd en arm voelden. Hun geloof was direct bedreigd doordat alle uiterlijkheden daaromtrent weggevallen waren. Zij konden het moeilijk verstaan dat het protestantse geloofsleven juist in deze benarde tijd ging opbloeien.
De P.J.C.-meisjes hielden onder leiding van Nita Frank nog altijd regelmatig hun clubavonden. En verscheidenen van ons hadden ons eigen Zondagsschoolklasje voor de kleintjes. Ook zij hadden behoefte aan geestelijk voedsel. Zij kwamen heel trouw elke zondagmiddag in steeds groteren getale, zodat we ons steeds weer groepsgewijs moesten splitsen. Er werd verteld en gezongen, en met de kinderen zochten wij naar redenen om voor te danken. Ik ben nog in het bezit van een klein eigengemaakt notitieboekje, waarin ik hun namen opschreef.
Hanneke, een achtjarige uit mijn groepje, vroeg dikwijls aan het eind van onze bijeenkomsten: 'Mag ik vandaag hardop bidden? Ik heb weer iets gevonden om voor te danken.' Het viel me op, dat er, wanneer er geen positieve redenen waren, ook wel voor negatieve gedankt kon worden: 'Dank U, dat wij geen winter hebben in Indië, zoals de mensen in Holland, die misschien verschrikkelijke kou moeten lijden. Dank U, dat mijn mamma nog leeft en niet ziek is of moest sterven, zoals de mamma van een boel andere kinderen. Dank U, dat we nog elke dag te eten hebben, al is het niet veel, het had ook nog minder gekund. Dank U, dat de nieuwe kampcommandant niet dadelijk slaat als we niet diep genoeg buigen. Dank U, dat ze het nog goed vinden, dat wij bij elkaar mogen komen om Zondagsschool te houden.'
En er werd veel gebeden voor de vaders in het mannenkamp, en die als krijgsgevangenen waren weggevoerd. 'Al weten

wij niet precies, waar onze pappa's allemaal zijn, U weet het gelukkig wel. Wilt U geven, dat we elkaar weer gauw mogen zien? Wilt U maken, dat de oorlog gauw over mag gaan. Anders gaan er nog meer mensen dood. Lieve Heer, laat het toch gauw weer vrede worden...' In allerlei toonaarden heeft die bede geklonken, luid-op of stemmeloos. Alle gedachten en wensen daarheen toegespitst: als er toch eenmaal maar weer vrede mocht zijn.

6

Zo naderde ons tweede kerstfeest in Bangkinang. Kerstfeest 1944. Weer studeerden de P.J.C.-meisjes een kerstspel in en brachten de boodschap van Kerstfeest aan de doodmoede kampbewoonsters.
Een van de Zondagsschoolleidsters gaf als de engel Gabriël aan deze zeer verzwakte en gedesillusioneerde geïnterneerden de bijbelse boodschap door: 'Vreest niet, want zie, ik verkondig u grote blijdschap, die al de volken ten deel zal vallen, namelijk dat u heden geboren is Jezus Christus...'
En toen kwamen al de kleintjes van de Zondagsschool en staken hun kaarsjes bij het licht van Gabriëls kaars aan, terwijl ze zongen: 'Jezus zegt, dat Hij hier van ons verwacht, dat wij zijn als kaarsjes brandend in de nacht...' En ze staken met hun lichtjes weer andere lichtjes aan.
Het had ons veel moeite gekost om aan kaarsjes te komen. Er waren maar een paar echte kaarsen in het kamp aanwezig, waarop we heel zuinig moesten zijn. Gabriël mocht er zo eentje gebruiken, maar voor de kinderen moesten we iets anders verzinnen. Aan de houtkappersploeg werd al weken van te voren gevraagd om in de bossen de zaden op te rapen van de heveabomen. In die rubberpitten maakten we gedeeltelijk een gat, holden ze uit, en vulden ze weer met druppels petroleum, die we uit de olielampjes stalen. Met een geolied draadje er in als lont kon je minuten lang een brandend kaarsje erin zien.
Dit was het mooiste kerstfeest. Er heersten eenheid en gemeenschap over het hele kamp, tussen blank en bruin, onder mensen van allerlei gedachten en geloven. Een blijde eensgezindheid met een onverwachte sfeer van vrede. Het was alsof het kamp zich duidelijk bewust was van Christus' tegenwoordigheid, daar in dat Bangkinangse vrouwenkamp op kerstmis 1944.
Op Oudejaarsavond had het bestuur toestemming gevraagd om tot middernacht buiten de barakken te mogen blijven.

De padvinders en de toneel- en zanggroepjes zorgden voor een vrolijke afwisseling. Er was weer plezierige drukte temidden van de schrale ellende. Reeds weken lang hadden de mensen elke dag een lepeltje van hun povere rantsoenen afgehouden om van dat overgespaarde iets extra's te hebben met de feestdagen.

Na de Kerst- en Nieuwjaarsfeestelijkheden ging het kampleven weer op z'n ouwe toer verder. Honger, ziekte en uitputting namen nog toe. Wat ons eigen gezin betrof: Mams was zichtbaar ouder en zwakker geworden; we konden niet toelaten dat zij nog enig werk zou doen. Mijn jongste zusje Wies en ik kregen bijna elke derde week een afmattende malaria-aanval. Mijn andere zusters, Gerda en Una, die altijd voor ons kookten, hadden dikwijls last van aangetaste ogen door de voortdurende rook bij de stookplaatsen. Het was of ze telkens door een waas heen keken. Ook hun stembanden en bronchiën begonnen van de rookwalm te lijden. Ze waren soms dagen lang hees en hadden een lelijke hoest, zoals velen van de dagelijkse kooksters.
We hadden zorg om elkaar. Vooral om onze zeer vermagerde moeder, die bij tijden ook van vreselijke maagkrampen te lijden had, waarvoor we geen andere medicijn hadden, dan gloeiende stenen uit de hete as in een doek gewikkeld tegen de krampplekken aan te houden. Dat hielp dan wel even. Met angst in het hart hoopten we, dat Mams het de hele kamptijd mocht volhouden.

We probeerden hardnekkig aan mooie en aangename dingen te denken, wat lang niet altijd meeviel. Er was een kampbewoonster, die in een schrift verschillende gedichten had overgeschreven van Adama van Scheltema, Guido Gezelle, René de Clerq, Helène Swarth, Albert Verwey, Joannes Reddingius, Willem Kloos, Jan Prins, Jacqueline van der Waals, Boutens en nog een paar andere. Door haar zijn ook anderen toen begonnen een eigen gedichtenbundel samen te stellen. We zochten naar velletjes papier toen er geen schriften meer te vinden waren, en speurden naar verzen die wij nog niet hadden. We schreven van elkaar over en genoten van de prachtige taal en de frisse inhoud, die ons totaal ophieven

uit onze dagelijkse zorgen en het vunzige kampleven.
Ook hadden we een paar zangboeken van geestelijke liederen, die we tot en met uitplozen en herlazen. En dan natuurlijk de Bijbel, die daar inderdaad onze hele bibliotheek uitmaakte. Elke week kwamen de P.J.C.-meisjes bij elkaar, en lazen een gedeelte uit de Bijbel, en iedere keer had weer een ander de beurt om het gelezene te bespreken of te overdenken. Als iemand van onze groep van een andere kampbewoonster een van de schaars-aanwezige boeken in het kamp kon lenen, lasten we voorleesmiddagen in, zodat meerderen ervan genieten konden.
Zo hadden we het voorrecht eens het boek *De Kluizenaar* van Ebba Pauli in handen te krijgen. Ook dat was een sterkmakend boek. We schreven gedeelten er van over in ons versjesschrift. Evenzo uit het boek *De zwijgende kracht* van Prentice Mulford, dat ons leerde heel positief te staan, juist in het troebele kampleven, dat de slechtste kanten van de mens heel gemakkelijk de boventoon deed krijgen.

Hoewel reeds gewend aan een zekere mate van tragiek en smart, speelden er zich nochtans soms tafereeltjes af, waarbij de verhardste ogen niet droog konden blijven.
Het gebeurde wel eens, dat de Japanners vergunning verleenden aan een vader uit het mannenkamp om naar de begrafenis van z'n kind te komen, waar hij zijn vrouw dan ook zag. Wat zo'n ontmoeting voor het ouderpaar onder zulke omstandigheden betekende kan men niet beschrijven.
Zo was er ook het geval van de kleine Martijn, die aan het afschuwelijke hongeroedeem stierf. De kampcommandant van die dagen toonde wat meer begrip en gevoel dan zijn collega's. Hij stond toe, dat de vader van Martijn aan het sterfbed kwam. In het vrouwenkamp dus.
Het hele kamp huiverde bij de ontmoeting van de man en de vrouw, die na enkele jaren bitter kampleven elkaar onder zulke droevige omstandigheden weer zagen. De vrouw vloog haar man om de hals in een krampachtige omhelzing, zodra hij de poort binnen kwam. Hij, geheel verdwaasd, herkende haar niet meteen. Zij was door alle verdriet en zorg zo veranderd. Ze was broodmager, met gezwollen oedeembenen en zag er slecht uit in de kamprafels die haar tot kleding

moesten dienen. Hij uitte een kreet als een getroffen dier, toen hij zijn vrouw herkende. Dan volgde een omhelzing, waarbij de kampgenoten hun ogen afwendden, omdat het heiligschennis zou zijn, dit te zien, deze ontmoeting van felle rouw en diepe vreugde tegelijk.

Weer een opschudding in het kamp.
Een paar meisjes waren op heterdaad betrapt tijdens het smokkelen. Nu stonden ze voor de Japanner in zijn kantoor en incasseerden enkele slagen en veel gescheld en getier. Daarna werden zij door de politie meegenomen, het kamp uit. Laat in de avond waren de drie meisjes nog niet terug. Hun moeders waren radeloos en wanhopig. Wat was er toch met hun dochters gebeurd? Ze konden er niet aan denken te gaan slapen. En ze waren niet de enigen. Andere moeders, met hun eigen dochters veilig naast zich, konden zich in de angst van die drie vrouwen zo duidelijk inleven, alsof het hun eigen kinderen betrof. Maar ze konden niets doen om hen te troosten.
Ook de volgende dag heerste er onrust op de tampats. Overdag hing er temidden van de kamproezemoes een soort beklemming in de lucht. Veel gesprekken gingen die dag over de meisjes. Waar zouden ze zijn? Zouden ze nog terug komen?
'Wat een martelende machteloosheid, dat er niemand is die in zo'n kwestie kan ingrijpen,' zei iemand zuchtend.
'Nergens kunnen we in hoger beroep gaan om bescherming te vinden tegen de grillen en straffen van de vijand,' wond een ander zich op.
En een derde voegde daaraan toe: 'Wie weet wat ze voor wreedheden met die meisjes uithalen.'
'Zwijg toch!' riepen verschillende stemmen tegelijk. 'Beheers je fantasie een beetje. Laat alsjeblieft de moeders dit niet horen.'
Je fantasie beheersen was gemakkelijker gezegd dan gedaan, want wat die ene persoon misschien tactloos uitsprak, hadden vele anderen net zo in gedachten gehad. Dergelijke gebeurtenissen brachten sommigen van ons tot dieper nadenken. Daar, waar wij in de grootst mogelijke hulpeloosheid verkeerden, beseften we vlijmscherp, dat er geen ander le-

vend wezen op aarde bestond dat ons hier nu te hulp kon komen.
'Alleen God zou ons kunnen helpen,' zeiden de sterk gelovigen. 'Voor God is niets onmogelijk.'
'Maar waarom grijpt Hij dan niet in?' kwamen de twijfelaars.
'Bestaat Hij wel?' vroegen de bitter ontgoochelden.
En het koor zong uit volle overtuiging: 'Nooit kan 't geloof te veel verwachten. Des Heilands woorden zijn gewis. 't Faalt aardse vrienden vaak aan krachten, maar nooit een vriend als Jezus is.'
Drie dagen later werden de meisjes teruggebracht. Ongeschonden. Zij hadden in een cel opgesloten gezeten, zonder voedsel, maar waren niet mishandeld. En in de nacht was er door inheemse agenten eten binnen gesmokkeld. Ze hadden zelfs meer en beter voedsel gekregen dan ooit in het kamp.

Honger... honger... honger...
De gesprekken gingen telkens over voedsel en het probleem om wat te eten in handen te krijgen.
'Hebben jullie het al gehoord? Een vrouw uit blok B heeft een oplossing voor haar vleesprobleem gevonden.' Nieuwsgierig werd de spreekster aangestaard.
'Hoe? Wat? Vertel gauw!'
'Ik kwam daar langs die tampat en rook heerlijke braadgeuren. Omdat we weken geleden voor het laatst vlees hebben gehad, bleef ik verwonderd staan en vroeg, waar in vredesnaam die vleesgeur vandaan kwam. De dame lachte en wees naar haar pannetje. Toen lichtte ze het deksel op. Er zat een verrukkelijke ragoût in, en er was ongetwijfeld vlees in verwerkt. Ik begreep er niets van en toen fluisterde ze tegen me: 'Als je er geen ruchtbaarheid aan geeft zal ik 't je vertellen: het zijn de muizen, die ik vang. Daar komt die lekkere ragoût vandaan. Wil je een hapje proeven?'
Een kreet van afschuw onderbrak de vertelster.
'Het is zeker een grap, hè? Dit kan toch niet waar zijn? Die smerige dieren kunnen wel pest veroorzaken. We zullen allemaal ziek worden. Je neemt ons in de maling.'
'Nee, hoor. Eerlijk waar. Ze zei, dat ze al in de afgelopen drie maanden haar vleestekort met ratten en muizen aan-

vult. Ze hield het geheim zodat niet iedereen dit voorbeeld zou volgen. Ik verklap het nu toch aan jullie, omdat ik wel weet dat jullie daarvoor terug zullen schrikken.'
'Ik ga liever dood van de honger, dan dat ik me aan een muizeboutje waag,' rilde iemand.
'Daar kun jij niet over meepraten, zolang jij nog geld hebt om extraatjes bij te kopen. Jij weet niet echt wat honger betekent.'
'Een razende honger, die aan je vreet, als je waanzinnig wordt van de honger...'
Die vrouw uit blok B bleef niet de enige die muizen at. Er kwam zelfs een verzoek van onze kampartsen om deze dieren te vangen en in te leveren aan de keuken van het hospitaal.
'Het aantal gevallen van malaria en dysenterie was angstwekkend toegenomen. Beri-beri, oedeem en andere ondervoedings- en oorlogsverschijnselen deden de vrouwen vermageren tot skeletten of opzwellen tot misvormde wezens. Een opvallend verschijnsel was, dat de Indo-Europeanen minder snel in krachten afnamen en minder te lijden hadden van infectieziekten dan de Hollandse vrouwen en kinderen. Men deed wat men kon om de zieken te redden. Tenslotte werden voor de ergste gevallen ratten toebereid onder persoonlijk toezicht van de dokteres, om enigermate in het eiwitgebrek te kunnen voorzien.'
In die barre hongerdagen werd alles wat maar eetbaar kon zijn, geconsumeerd. In het begin van de kamptijd liepen er nog wel een paar katten en een hond rond, die allen op een gegeven dag spoorloos bleken.
Toen de tuinploeg eens een slang doodsloeg, was dat ook een blije aanvulling van het voedseltekort. Men ving, als men geluk had, slakken, kikvorsen, hagedissen en engerlingen (larven van de klappertor) welke laatsten in hun eigen vet gebraden werden en als lekkernij moesten gelden.
Uit het mannenkamp kwamen berichten dat zij ook al kennis gemaakt hadden met dit menu om maar in leven te blijven. Zij waren zelfs al verder gevorderd dan wij, want zij hadden eens een schildpad in de rivier gevangen, en een leguaan. Toen was er 'big eat' in het mannenkamp.
Eens vond hun houtkappersploeg in de bossen een tijger, die

al een paar dagen tevoren geschoten en gedood was. De kampdokter kon maar met moeite verhinderen, dat hij geslacht en verorberd werd. En daarmee heeft hij waarschijnlijk vele levens gered. Tegen voedselvergiftiging zou men in die dagen totaal geen weerstand hebben gehad.
In het vrouwenkamp hebben op een dag twee kinderen uit één gezin van de zaden en bloemen van de cassave gegeten. Daar zit enorm veel blauwzuur in. Eén jongetje stierf eraan. Zijn broertje kon juist op tijd gered worden.
De kinderen liepen van de honger overal aan te likken en op te knabbelen. Velen van hen hebben letterlijk op een houtje gebeten. Het was vooral voor kinderen een te grote verleiding als ze voor een rondje suiker in de rij moesten staan. Ze konden er onderweg naar hun tampat gewoon niet van afblijven: vinger in de mond, vinger in de suiker en zo maar door. Eens moesten we weer voor suiker en zout in de rij staan. Later vertelde de moeder van kleine David mij met tranen in de ogen, dat haar zoontje zichzelf niet geheel vertrouwd had en toen aan zijn zusje had voorgesteld, dat hij maar in de rij voor de zout-uitdeling zou gaan staan. Zout kwam hem minder aantrekkelijk voor dan suiker.

Kleutertje
Kleutertje, is dit nou een wereld waar jij, klein kleutertje hoort?
Waar de grotemensenoorlog fel wreed jouw wereldje stoort?
Kleutertje, kun je ooit schenken vergeving aan het ouder geslacht,
dat zó de wereld verknoeide en jou in d' ellendepoel bracht?
Kleutertje, 'k vrees dat dit leven op jouw zieltje zijn stempel drukt.
En meteen stijgt de beê in mijn hart op om herstel van jouw kleutergeluk.

'Toen kwam er een tijd, dat Nippon een vracht katoen in ons kamp aflaadde met het bevel, dat die ontpit moest worden.
Daar het bekend was, dat uit de katoenpitten nitroglycerine

voor oorlogsdoeleinden werd bereid, weigerde het bestuur de opdracht aan te nemen. De vergoeding van 4 ons suiker voor 1 kilo pitten was zeer verleidelijk in een tijd dat nagenoeg geen suiker ontvangen werd. Een klein aantal personen bezweek voor de verleiding en begon de binnengebrachte katoen te ontpitten. Dit duurde Nippon echter te lang. Zij namen hun toevlucht tot een geheel nieuw middel.
Het mannenkamp had zonder veel tegenwerking het ontpitten van de katoen als verplicht corvee aan de geïnterneerden opgedragen. Nu bracht men de Resident en een der andere heren naar het vrouwenkamp om enige machientjes te demonstreren, waarmee het ontpitten heel snel kon geschieden.
De Resident was van mening, dat het onmogelijk was, dat men deze pitten voor oorlogsdoeleinden gebruikte. De te jonge pitten waren zelfs niet eens geschikt om uit te zaaien. Gezien de grote behoefte aan suiker adviseerde hij het vrouwenkamp deze kans op bijvoeding niet te laten schieten.
De dames van het kampbestuur wilden inderdaad de geïnterneerden de kans op suiker niet ontnemen, doch ze bleven van mening, dat er toch de mogelijkheid bestond dat de pitten voor oorlogsdoeleinden gebruikt zouden worden, en dat men daarom ondanks de suiker beter deed niet aan dit werk deel te nemen.
Nu echter het mannenkamp voorging zou het in de ogen van Nippon vreemd geleken hebben wanneer de vrouwen weigerden. Een weigering zou Nippon als kritiek op de handelwijze van de Resident kunnen beschouwen. Daarom besloot het bestuur met het hele kamp aan het katoen ontpitten deel te nemen. Een 14-tal personen bleven bij hun weigering, alle overigen deelden de zienswijze van het bestuur.
De Japanners toonden zich zeer geërgerd over de onwillige houding der vrouwen. Dit werk was toch door de kampcommandant voor het kamp aangenomen om de geïnterneerden meer voedsel te verschaffen, omdat hij het op geen andere wijze van de Japanse autoriteiten gedaan kreeg.'
Het bleek al gauw, dat het een uiterst ongezond werk was, want de katoenpluisjes woeien het hele kamp door en als je ze inademde veroorzaakten ze een geweldige hoest en verder ongemak. Bij een paar kleine kinderen kwam het bijna tot

verstikking. De kampdokters tekenden dadelijk protest aan tegen de katoenpluizerij.
'Gelukkig konden de pitten na enkele dagen ingeleverd worden en de suiker verstrekt. Zoals reeds gevreesd werd, had dit die maand een verminderd suikerrantsoen ten gevolge. Later ontvingen de kampen uit erkentelijkheid voor dit werk van de Japanse Resident van Riouw (in welke provincie Bangkinang lag) twaalf karbouwen ten geschenke. Deze mochten echter niet dadelijk geslacht worden. Op feestdagen gaf de kampcommandant opdracht een der karbouwen voor beide kampen te slachten.'

De geheime briefwisseling tussen beide kampen bracht op een dag grote schrik. Er was namelijk in het mannenkamp een hevige dysenterie-epidemie uitgebroken en om het besmettingsgevaar moest de correspondentie onmiddellijk stopgezet worden.
De hoofdbesturen zouden elkaar op de hoogte houden. En toen volgde er een tijd dat er dagelijks een lijst namen van overledenen in het mannenkamp op een schoolbord bij het kantoor bekend gemaakt werd. Iedere dag dromden de vrouwen samen voor het bord. Zou daar ook de naam van hun man, zoon, vader of broer verschijnen? De spanning ebde pas weg toen na enkele maanden de gewone briefwisseling weer hervat kon worden, hoewel natuurlijk de bezorgdheid voor elkaar over en weer bleef bestaan, en zelfs toenam naarmate de tijden onzekerder werden.

'Van het begin af aan werd van Japanse zijde geëist, dat zelfs de geringste soldaat door de geïnterneerden met een diepe buiging gegroet werd. Bij elk bezoek van een hooggeplaatst officier verlangde men eerbetoon van het hele kamp. Hiertoe werd van te voren geoefend. Het kamp werd in rijen opgesteld. Urenlang moest men op de dag van het bezoek klaar staan op het voorerf, in de felle zon. Toen dit eens al te lang op zich liet wachten, gingen de kampbewoners, die vermoeid raakten en nog vele werkzaamheden te doen hadden, op eigen initiatief uiteen. Op het moment, dat de generaal de poort binnenschreed, vergezeld van een lijfwacht, lag het erf volkomen verlaten voor hem. De generaal kon een verbaas-

de blik naar de kampcommandant aan zijn zijde niet weerhouden. In verbeten woede leidde deze de hoge bezoekers met voorbijzien van het inmiddels bijeengekomen bestuur, alleen en in snel tempo het kamp door.
Het buigen voor soldaten was voor de vrouwen een der moeilijkste voorschriften waar zij zich aan moesten onderwerpen. Daar het een ordemaatregel was, was niemand gerechtigd zich er tegen te verzetten. Er vielen klappen wanneer er niet aan werd voldaan. In Bangkinang heeft het bestuur de Japanners eens uitgelegd, waarom het de vrouwen zo moeilijk viel zonder meer deze ordemaatregel na te leven: de wijze van groeten die van hen geëist werd was die waarmee de Nederlanders slechts hun koningin eer bewijzen. Om aldus een gewoon, zelfs vijandig soldaat te groeten viel hen te zwaar. Toen eerst begon men iets te begrijpen van wat er in deze vrouwen omging en er werd verder genoegen genomen met een minder diepe buiging, waartoe echter vele vrouwen zich nog niet konden brengen en waardoor zij dan toch nog wel eens een klap opliepen.
De soldaten waren snel in het uitdelen van klappen in het gezicht. Officieren maakten zich daar zelden aan schuldig. Het viel hen soms moeilijk zich te beheersen, wanneer het optreden der vrouwen hen irriteerde, doch slechts een enkele liet zich verleiden zelf te slaan. Te Padang werden enige geïnterneerden voor de eerste maal geslagen. Een van hen had een bevel van een politieagent der Indonesische wacht niet terstond opgevolgd. De man bedreigde haar met zijn geweer, waarop zij met hem in handgemeen geraakte. Bij het door de Japanners gehouden onderzoek van dit incident kreeg zij, evenals de 2 dames die als haar getuigen meekwamen, een flinke klap te incasseren, en werd hen als straf een maand kamerarrest opgelegd.
Te Bangkinang kwam het slaan der vrouwen en kinderen door soldaten der Japanse wacht herhaaldelijk voor. De diepe verontwaardiging echter die daarvan bij de vrouwen onmiddellijk gevolg was, en het direct daarop volgend protest van het bestuur bij de kampcommandant, hielden de animo voor het slaan in bedwang en beperkte de gevallen aanmerkelijk. Het imponeerde zichtbaar wanneer zonder een spier te vertrekken de klap geïncasseerd werd; voor huilende

vrouwen toonde de Japanner zich steeds vrij ongevoelig en daarmee werd niets bereikt.
Toen weer een der geïnterneerden een klap had opgelopen, beriep het bestuur zich op een bepaling in de Japanse interneringsregelementen, die inhield dat het kamp bestuurd zou worden volgens de eigen zeden der geïnterneerden. Het bestuur toonde aan, dat de zeden der geïnterneerden zich ten sterkste verzetten tegen het slaan van vrouwen, dat dit de grootste belediging was die men een blanke vrouw kon aandoen en dat het de diepste verontwaardiging en haatgevoelens in een vrouw opriep. Het onmiddellijke gevolg van deze uiteenzetting was, dat nog diezelfde avond voor de Japanse soldaten een verbod werd uitgevaardigd om de geïnterneerden te slaan. Het bestuur kreeg het recht om degenen die zich schuldig maakten aan overtreding der Japanse voorschriften, zelf te straffen. Indien de vrouwen echter zich daarna weer aan overtreding schuldig maakten, zou Nippon zelf ingrijpen en straffen. Lange tijd heeft men zich hieraan gehouden en viel er slechts af en toe een klap, meestentijds wanneer een soldaat geïrriteerd werd door de onafhankelijke houding van de meisjes en vrouwen gedurende het werk. Steeds hadden zij het gevoel, dat de vrouwen van een land dat dan toch de oorlog verloren had op hen neerzagen. Die houding van rustig hun gang gaan, van gebrek aan angst en eerbied voor de overwinnaar, deed hen zichzelf vaak vergeten. Dat echter dan nog het bestuur terstond officieel protesteerde kwam Nippon geheel ongerijmd voor. Op de protesten werd niet onmiddellijk gereageerd, doch men kon merken, dat daarna weer strenger werd toegezien, om herhaling te voorkomen.
Op sommige momenten, o.a. toen de krijgsgevangenen op weg naar Pakan Baroe langs het kamp reden, besefte de Japanse wacht het kamp niet in bedwang te kunnen houden. Hij nam zijn toevlucht tot het verantwoordelijk stellen van het bestuur voor de orde en rust in het kamp. Hij bracht de bestuursleden slagen toe in de verwachting daardoor het kamp schrik aan te jagen. Dit werkte echter averechts: de vrouwen keerden zich juist tegen hem. Hem bleef niets anders over dan genoegen te nemen met de regeling, die het bestuur verder trof.

Het slaan bepaalde zich meestal tot een klap in het gezicht, een enkele maal werd gebruik gemaakt van een stok of riem. Heel zelden werd er getrapt. Als er geslagen werd, dan was dit meestentijds het gevolg van niet buigen, smokkelen, niet voldoende doorwerken in de tuin, soms ook om onbegrijpelijke redenen.

Als straffen golden verder:

1. half dagrantsoen, hetgeen alleen dan door het kampbestuur werd uitgevoerd, indien het vergrijp ook tegen het kampbelang was;
2. verbod om te gaan tuinieren of houthalen;
3. soms urenlang staan in het kantoor van de Japanse wacht (eenmaal zelfs 12 uur achtereen);
4. opdracht voor zwaar werk;
5. medename naar het politiekantoor in Bangkinang voor een opsluiting aldaar van ten hoogste 10 dagen. De gestraften werden veelvuldig verhoord, meestal om achter de eventuele kampgeheimen te komen. De behandeling was overigens behoorlijk. De inheemse politie voorzag de vrouwen van alles wat hen ontbrak.

Slechts één geval van werkelijke mishandeling deed zich voor te Padang en wel door toedoen van de Indonesiër Bakri, de toenmalige Japanse tolk. Bij een rondgang van de Japanners tijdens een verduistering, liepen enige meisjes weg voor de in het donker op hen toekomende personen. Bakri gaf voor, dat hem beledigende woorden waren toegeroepen. Een der meisjes werd door hem naar het voorerf gesleept en daar geslagen en geschopt. Later op de avond bleek het meisje verdwenen te zijn. Zij was meegenomen naar een gebouw, waar ook de Japanse commandanten Shigubayashi en Nakano aanwezig waren. Te midden van een kring Japanners werd zij door Bakri met een riem afgeranseld en geschopt, gehoond en uitgehoord. Na enige uren werd zij met duidelijke sporen van de ondergane mishandeling naar huis gestuurd. De M.P. werd door het bestuur terstond ingelicht, waarop het meisje een verhoor werd afgenomen. Of Bakri gestraft werd is niet bekend, wel verscheen er een andere persoon als tolk.

Buiten de enkele gevallen van stokslagen en schoppen zijn geen gevallen van bepaalde mishandeling voorgekomen.

Herhaalde malen stuitte Nippon op de onverzettelijkheid der vrouwen, wanneer zij om principiële redenen iets meenden te moeten weigeren. Zo werd te Padang het vrouwenkamp in november '42 een zogenaamd eedsformulier ter ondertekening voorgelegd. De inhoud was van dien aard, dat men van mening was het niet te kunnen ondertekenen, al dreigde Nippon ook alle voeding te laten inhouden.
Na een heftig debat kreeg het bestuur de Japanners er toe enkele woorden uit de tekst te laten vervallen, daarna werd het formulier door alle geïnterneerden getekend, echter onder protest.
Het is merkwaardig hoe gedurende de interneringsjaren de houding der Japanners veranderde. Vaak werd het Japanse bestuur van het kamp vervangen en steeds brachten de eerste dagen weer moeilijkheden. Doch ook steeds ging na verloop van tijd alles weer zijn gang: hoofdbestuur en geïnterneerden hadden de nieuwelingen doen voelen, dat zij maar niet zo alles namen, doch ook een stem in het kapittel hadden. Na enige schermutselingen hadden de nieuwe commandanten en soldaten zich dan weer aangepast. Zeer lastig vond men deze vrouwen, die altijd iets tegen te spreken hadden en te goed bleken te weten welke rechten geïnterneerden tenslotte hadden, te goed op de hoogte waren van de internationale bepalingen voor geïnterneerden. Het kamp stond bij de Japanners bekend als een der lastigste kampen van Sumatra. Inderdaad hebben deze geïnterneerden door hun recalcitrante houding het Nippon niet gemakkelijk gemaakt. Langzamerhand drong het tot de Japanners door, dat zij op medewerking van het bestuur konden rekenen wanneer iets in het belang van de geïnterneerden was, doch dat zij felle tegenstand ondervonden wanneer zulks niet het geval bleek te zijn.
Door het bestuur werd de geïnterneerden steeds voor ogen gehouden, dat zij zich, zelfs onder de moeilijkste omstandigheden, waardig hadden te gedragen. Een waardige sterke houding werd zelfs door de Japanners veelal geëerbiedigd.'

Aangezien enkele gezinnen pas veel later geïnterneerd werden, zijn er nog ettelijke babies in het kamp geboren.
Eén van hen was kleine Thea van het gezin van de dierenarts

van Fort de Kock. Zij was op het eind van onze internering net twee jaar oud, maar niet groter dan een baby van een half jaar. Ze had wel tandjes, maar was verder volkomen hulpeloos als een kind van 6 maanden. Ze kon nog niet zitten, maar lag als een tevreden baby met haar teentjes te spelen. Zij was het meest gave, allerzuiverste aanwezigheidje in ons kamp. En ik kwam graag met haar spelen. Omdat zij de jongste van een vijftal was, kon haar moeder in die omstandigheden niet die tijd aan haar besteden als ze wel wilde, dus was het voor haar een uitkomst en voor mij een grote gunst als ik Thea voor een uurtje mocht 'lenen'. Dan wandelde ik met haar op de arm over het kampterrein, en we genoten beiden. Eerst veel later na de bevrijding heeft haar lichaampje de geremde groei hervat en heeft zij zich normaal ontwikkeld.
Haar oudste zusje, Vonny, was toen 6 jaar en al een hele hulp voor haar moeder. Dikwijls zag ik haar met een teiltje wasgoed naar de wasplaats gaan, waar zij in haar eentje de gezinswas deed. Of ze hield toezicht bij het stookgat van haar moeder, dat het vuurtje aanbleef en de pap niet aanbrandde. Of ze paste op de kleinere broertjes en zusjes.
Zo werden de kinderen daar al heel jong betrokken bij verantwoordelijk werk: in de rij staan om rantsoenen af te halen, houtkappen in de houtloods, de afwas voor het eigen gezin of voor anderen tegen een kleine vergoeding, en allerlei voorkomende karweitjes. Mijn zus Una herinnert zich nog heel goed een klein 5-jarig jongetje, de naam is haar ontschoten (hij had een zusje Enid), dat elke dag weer voor hun gezin de maaltijd kookte, terwijl zijn moeder voor anderen kookte om er wat mee bij te verdienen. Bij het rokerige vuur stond hij dan vol ijver te kiepassen (met een bamboe waaier het vuur aan te wakkeren). Het was dikwijls een hele toer om het vuur aan te houden of zelfs om het hout aan het branden te krijgen, wanneer het natgeregend was of te groen gedistribueerd. Zelfs voor een volwassene deed dit dappere kereltje beslist niet onder.
Ook hadden we een timmervrouw in het kamp, die met assistentie van haar twee dochtertjes alle timmerklussen van het hele kamp op zich nam.
Er was ook een leraarsgezin met drie kinderen. Op een dag

moest de moeder in het hospitaal worden opgenomen. Toen ontfermde zich een onderwijzeres over het drietal. Zij bleven ook onder haar hoede toen de moeder stierf. Dezelfde onderwijzeres nam ook nog een ander gezinnetje in haar zorg op, toen nóg een moeder heenging. Zo had zij ineens 6 kinderen te verzorgen. Tot zijzelf het ziekenhuis in moest. Toen werd de zorg voor dit zestal kinderen op het oudste meisje gewenteld. En dit Truusje van 12 jaar oud heeft een poosje gekookt en gewassen voor hun groepje, tot hun pleegmoeder gelukkig weer terugkwam, of misschien viel een andere hulpvaardige vrouw toen zo lang in.

Het gebeurde een enkele keer, dat iemand een pannetje eten verspeelde, doordat het omgestoten werd, of doordat iemand er mee struikelde onderweg naar de tampat. Ik heb vrouwen gezien, die zich het haar uit hun hoofd rukten van spijt over de verspilling omdat het om de dagelijkse portie eten ging voor haar hele gezin, en er was geen vervanging. Ik heb moeders gezien, die het kind dat zo'n ongeluk overkwam onbeheersd door elkaar rammelden en sloegen, om het daarna aan haar hart te drukken en samen te huilen om de verloren maaltijd en het verloren geduld. Ik heb kinderen gezien, die op het gemorste voedsel aanvielen en het met zand en al in de mond stopten en opaten, want dunne sagopap kun je niet anders oprapen.
En altijd was er wel iemand uit de massa, die met een kommetje langs de tampats rondging om van iedereen een heel of een half hapje eten te vragen, zodat het gedupeerde gezin die dag toch iets te eten zou krijgen.

De honger werd zo erg, dat er zelfs mensen waren die zich niet schaamden om ten aanschouwen van iedereen de etenspannen letterlijk uit te likken. Ik zag eens een vrouw met haar hele hoofd in een grote pan, en maar likken in het rond. Toen zij deze 'hoed' afzette herkende ik in haar een hoog ontwikkelde vrouw, die in normale tijden een echte dame geweest was. Anderen zochten zelfs in de vuilnisbakken naar groenteblaadjes die door een ander als te geel of te verlept waren weggegooid. Niet iedereen kon zo royaal zijn om iets weg te gooien, maar wie het beter had, door de smokkel-

handel, stelde iets hogere eisen en was kritischer dan de anderen.
Zelf heb ik dikwijls in de buurt van de goedangs naar gemorste rijstkorrels of bonen lopen zoeken. Wat was je gelukkig als je op die manier met een extra voorraadje van bijvoorbeeld 7 bonen en 14 rijstkorrels naar je tampat kon gaan.
Una herinnert zich kleine Jantje van drie jaar, die wist dat zijn moeder versterkend voedsel moest hebben en die op eigen initiatief in de buurt van de goedangs gaba-gaba (ongepelde rijstkorrels) zocht, ze met grint en zand tegelijk opraapte en precies zo in een blikje water tussen de hete as van de toenkoes (stookgaten) aan de kook trachtte te brengen. Het lukte niet altijd ze gaar te krijgen, maar omdat hij dit zo moeizaam verworven en toebereide kostje zo stralend bij zijn moeder bracht en er bij bleef staan kijken tot ze het ook opat, kon zij het niet over zich verkrijgen er niet van te eten, hoewel het haar veel moeite kostte deze liefderijke hap door te slikken.

Op een dag werd er aangekondigd, dat vanaf de week daarop, één middag per week een groepje vrouwen voor een 'uitstapje' of 'picknick' naar het bos mocht. Het zou geen tuincorvee of houthaal-corvee zijn, maar zomaar een middagje vrij. Gerda en Una hoorden bij de eerste ploeg, die naar buiten mocht. De dag van te voren hadden ze een bruine bonenbroodje gebakken om mee te nemen. Natuurlijk bleef er ook wat achter voor de thuisblijvers.
Una vertelt over het uitstapje: 'Het klaarmaken van dit lekkers om mee te nemen zorgde al voor een beetje "vakantiegevoel" bij ons tweeën. Uit hoeveel de groep picknickers bestond weet ik niet meer, zo ongeveer gelijk aan de normale groep corveeërs, denk ik. Er waren een stuk of wat Japanners, die als bewakers meegingen.
Zodra we in het bos waren gingen Gerda en ik met nog iemand (ik weet niet meer of het Greet of Prullie was) een beetje van de grote groep vandaan, om in de schaduw van grote varens en struiken bij een heel klein aftakkinkje van de rivier ons meegebrachte lekkers op te eten en een beetje op mijn mondharmonica te spelen. We zaten er een poosje en

ik speelde zachtjes het ene wijsje na het andere en we probeerden echt te genieten van het uitje, dat ons toch niet helemaal het gevoel van echte vrijheid kon geven wat we er wellicht van verwacht hadden.
Opeens kwam een van de Jappen naar ons toe en we boften dat het niet een van de kwaadsten was (naam vergeten). We verwachtten eigenlijk, dat hij ons zou zeggen, dat we niet zo afgezonderd moesten blijven, maar ons bij de groep aan moesten sluiten, zodat dat voor hem en zijn collega's makkelijker te overzien zou zijn. Maar in plaats daarvan ging hij op een steen bij ons zitten en begon in 1½ woord Engels en tweemaal zoveel Japans een gesprek. We begrepen niet wat hij vertelde, maar ineens maakte hij de beweging van mondharmonica spelen en wees toen op zijn borst, terwijl hij zei: "Me." En weer de beweging van spelen op eerdergenoemd instrument. Eerlijk gezegd had ik er niet veel zin in om mijn geliefde mondorgel door iemand anders te laten bespelen, zeker niet door een Japanner, maar ik voelde er niet onderuit te kunnen, en dus gaf ik, hoewel met tegenzin, het instrument af. Ik vroeg me af of ik het ooit terug zou krijgen, of dat hij het zou houden, zoals velen van zijn soortgenoten deden als zij iets zagen wat van hun gading was. Maar toen hij begon te spelen, begreep ik dat hij gewoon behoefte had aan het uiten van zijn gevoelens, want wat hij speelde was het ons overbekende "Home sweet home". Daarna volgden wat onbekende, naar mijn mening Japanse wijsjes. Nadat hij er een stuk of wat van had gespeeld, zei hij opeens, in zijn gebrekkig Engels: "When Japanese die..." en toen enkele woorden Japans, "...funeral, they play like this..." en hij speelde een weemoedig klinkend lied met veel donkere tonen. We begrepen, dat hij een treur- of dodenmars speelde, het klonk onmiskenbaar treurig. Daarna was het even stil en we wisten niets te zeggen, maar ik denk dat we hem toen even als mens en niet als vijand zagen. Ik realiseerde me toen, dat het voor die man toch ook geen lolletje was, hier zover van zijn land en familie te zitten, passend op een stel gevangenen die hem eigenlijk haatten, en óók niet wetend of hij het einde van de oorlog wel ooit beleven zou en zijn land en volk terug zou zien. Ook een vijand kon last van heimwee hebben.

Ineens keek hij op zijn horloge, stond op en gaf ons met een gebaar te kennen, dat het tijd was om te vertrekken. Ik vroeg me af wat hij met mijn mondharmonica ging doen, maar ineens draaide hij zich naar me toe, reikte me het ding aan en zei: "Thank you," waarna hij verdween om zich bij zijn metgezellen te voegen, die de groep bij elkaar dreven om weer naar het kamp terug te gaan. Ik was er even stil van, er waren toch ook nog vriendelijke Jappen. Natuurlijk was er door verschillende vrouwen van de gelegenheid gebruik (of misbruik?) gemaakt om het een en ander te smokkelen, wat toen ontdekt werd. Hiermee was meteen een einde gekomen aan de "picknick-middagen", want deze zijn na die ene keer nooit meer herhaald.'

Wanneer wij eenmaal weer gewoon
normaal in vrede leven,
dan zien wij pas veel meer van 't schoon
ons uit gena gegeven:
een eigen huis, hereend gezin...
Al komen er kwade dagen,
het leven houdt veel goeds ook in.
Dat wij het echter zágen.
Een stille avond rustig thuis
een goed boek kunnen lezen,
of luisteren naar windgeruis...
Wat zùl je dankbaar wezen!
Het samen zitten met elkaar,
een vredig samen zingen,
een fijn gesprek, oprecht en waar,
dat zijn zo van die dingen...

Op een dag werd bekend gemaakt, dat er de volgende ochtend een vrachtauto zou binnen rijden om de grotere jongens uit ons kamp op te halen en naar het mannenkamp te brengen. Zij waren in de leeftijd van 11 tot 15 jaar. Dit bericht bracht verschillende reacties te weeg.
Er waren moeders die wanhopig, maar zwijgend het bundeltje kleren voor haar zoon inpakten. Zij zagen de noodzaak van de kampverwisseling voor hun jongen in, hoewel ze tegen het afscheid opzagen. Je wist immers nooit of je je

kind ooit weer terug zou zien. Stel dat hij daarginds ziek zou worden, ze zou er niet bij kunnen zijn, als hij haar nodig had. Het waren zulke uiterst onzekere tijden. Er kon van alles gebeuren. Je was nergens zeker van. Ze probeerden met alle macht om zich te beheersen, om het niet nog zwaarder te maken. Er waren toch al genoeg moeders die te keer gingen tegen de dames van het bestuur of tegen de barakleidsters, ja zelfs tegen de kampcommandant spraken ze hun ontevredenheid uit.

'Wat moet mijn kind in dat mannenkamp. Zijn vader zit daar niet eens. En wij kennen niemand, die zich daar over hem zal willen ontfermen. Het kind kan toch niet voor zich zelf zorgen. Moet hij dan zonder leiding daar voortsukkelen? Wat zal er van hem terecht komen?' Er waren toch ook moeders, die zich erg opgewekt en optimistisch toonden, al bloedde hun hart, en al knaagde de weemoed op een vreselijke manier binnen in hen. Hun zoons gingen naar hun vader of naar een grote broer toe. Deze moeders hadden het gevoel, dat ze hun man hun zoon niet mochten onthouden. Zij zaten daar maar alleen, terwijl zij zelf de hele kinderschare bij zich hadden. En die moeders sloofden zich uit om haar kind nog een boodschapje, briefje of herinnering voor de vader mee te geven.

En de jongens zelf wisten eigenlijk niet goed wat ze nu precies voelden. Aan de ene kant waren ze treurig om van moeder weg te moeten gaan, maar aan de andere kant verlangden ze juist op deze leeftijd naar het contact met hun vader, de omgang met mannen en niet langer te midden van enkel vrouwen en kinderen te zijn in deze abnormale samenleving in zo'n beperkte ruimte.

Ook was er een belangrijk gerucht, waar zij steeds aan denken moesten, namelijk dat er aan het mannenkamp meer voedsel verstrekt werd dan aan het vrouwenkamp, want vrouwen telden immers niet echt mee voor Nippon. En voedsel betekende bijzonder veel voor jongens in de puberteit, die zelfs in normale tijden immers nooit verzadigd lijken te zijn.

De avond voor hun vertrek ontmoette men op alle 'wandelpaadjes' door het kamp telkens moeders en zonen, die in een laatste vertrouwelijk ogenblik met elkaar van gedachten wis-

selden. Toch zal er toen niet zo veel gepraat zijn. Maar de momenten van stilte, die tussen hen in hingen, waren als een gesprek zonder woorden.
Ook moeten ze elkaar beloofd hebben: 'We zullen flink zijn,' want er werden geen tranen gezien bij het wegrijden van de jongens. Moedige moeders. Kranige kinderen.

Omdat men in ons kamp indivueel kookte, kon het dus voorkomen, dat er iemand met de kreet 'past-er-op, hete pan!' zich door de nauwe, druk bevolkte barak-gangetjes heen manoeuvreerde. De anderen werden bijtijds gewaarschuwd door de roep en baanden een weg voor de hete pandraagster.
Op een dag kwam één van de dames van het Keukencomité met een kennelijk zware en moeilijk te hanteren waterketel aandragen. Terwijl zij haastig het gangetje van haar barak in liep, waarschuwde zij dringend al van verre: 'Past-er-op! Past-er-op! Héét water, héét water.'
Toch ging er iets mis. Een paar stoeiende kinderen kwamen van hun tampat vlak voor haar voeten getuimeld. Ze kon een botsing niet meer vermijden, en struikelend viel ze languit met haar ketel over de kinderen heen. Gegil en geschreeuw overal rondom...
Toen viel er ineens een stilte van adembeneming in opperste verbazing. Daarna barstte men afwisselend in gelach of gehoon uit. Gelukkig voor de kinderen bevatte de ketel geen heet water, maar was ze tot aan de tuit toe gevuld geweest met... witte suiker! Tableau voor bewuste dame!
Zulke foefjes had zij wel meer bij de hand. Op een keer zette haar zoontje z'n moeder mooi te kijk, toen hij bij een bananen-uitdeling voor kinderen onschuldig informeerde: 'Mam, hoef ik deze pisang niet op w.c. op te eten?'

Het is enige malen gebeurd, dat ik geroepen werd bij een officiële postbezorging aan het kantoor van het bestuur.
'Mieke, post voor jou, uit Australië. Via het Rode Kruis. Bofferd!' En ik ging tussen een groep teleurgestelde vrouwen door, die vergeefs naar brieven van hun families hadden uitgezien.
Ik had als meisje voor de oorlog veel met buitenlanders ge-

correspondeerd en zo had ik ook een Australische pen-vriendin. Uitgerekend háár brieven kwamen door allerlei censuur-barricades heen, terwijl brieven van familieleden van onze Australische en Engelse kampgenoten om onverklaarbare redenen eenvoudig niet arriveerden. Ik kon me de jaloerse blikken wel voorstellen, en hoewel ik er ook niets aan kon doen, ging ik me wel schuldig voelen.
Ik denk dat ik in die paar jaar wel 4 tot 5 brieven uit Australië ontving.
Allemaal met dezelfde inhoud: hoe het ermee ging; dat de buitenwereld zich bezorgd maakte om ons in bezet gebied; of we het redden konden. Er werd veel en intens voor ons gebeden. Laten we hopen, dat de vrede voor iedereen gauw komt. Als het mogelijk was zouden ze een antwoord, hoe kort ook, heel erg waarderen.
Maar antwoord was er niet bij.
Wel kregen we een paar keer toestemming om officiële brieven naar het mannenkamp te schrijven. Uitsluitend in het Maleis. Ik denk, dat iemand een modelbriefje opstelde, dat iedereen overschreef, met kleine persoonlijke variaties.

Hoe hunkerden we in die voorbijslepende, vergooide jaren naar het schone van het leven. We zochten er naar met niet aflatende drang. Voor zover mogelijk bezochten we elke lezing of voordracht.
Gedichten, die we in het kamp opspeurden en verzamelden, lazen we ook voor ons zelf soms hardop, alleen om de klank en de prachtige woordkeus. Men leerde ze uit het hoofd, schreef op wat men zich nog aan vroeger geleerde gedichten herinnerde. Die werden weer door anderen overgenomen.
Hetzelfde, hoewel uit een ander oogpunt, gebeurde met recepten. Ook die werden verzameld en overgeschreven. Zo heb ik nog een heel stel opengelegde brief-enveloppen, helemaal volgeschreven met alle soorten recepten. De meeste kreeg ik van Dora, een meisje van Chinese afkomst, waar ik dikwijls brandwacht mee liep. Haar ouders hadden, als ik me niet vergis, een restaurant, waar Dora jarenlang in mee geholpen had voordat zij, juist voor het uitbreken van de oorlog, als kindermeisje bij een Hollands gezin was gaan werken. Zo kwam zij met dat gezin het kamp in.

Ik had de grootste bewondering voor haar geheugen. Zoals zij me feilloos recepten dicteerde, als wij een ronde gelopen en de lampen gecontroleerd hadden, en weer een poosje konden zitten op de geleende krukjes, buiten onze barak. Soms, als we de laatste wacht liepen van 4 tot 6, haalden we een kop heet water bij de vroegsten in de keuken en maakten onze koppie toebroek. Heerlijk, zo'n hete kop in de kille ochtend.
En als we vóór in de nacht of middenin wacht liepen, zorgden we meestal, dat een van ons iets lekkers te knabbelen had bewaard: een plakje bonenbrood of eigengemaakte kroepoek van sagomeel (heel bewerkelijk). Soms hadden we juist ons extra goedangrondje gehad, en daarvan hielden we wat rauwe pinda's achter, die ons als noten smaakten, of een stukje Javaanse suiker, die voor borstplaat doorging. Tijdens deze twee uur durende wacht kwam de dienstdoende Japanner altijd even inspecteren of wij wel op onze post zaten en scheen ons met z'n lamp in het gezicht. Dan moest je gaan staan en buigen en zeggen, dat alles in orde was. Tegen de tijd, dat we afgelost moesten worden ging een van ons naar de tampats van onze aflossers om ze te wekken. Dan zat het er voor ons weer op, tot over twee weken.

Enkele van Dora's nooit uitgevoerde recepten:

Kebertoe

1 wit uitje, 3 rode uitjes, 2 kemiries, 1 klein stukje laos, 1 klein stukje kentjoer, met wat zout en gepofte trasi fijnmalen. Fruit dit in een weinig olie. Doe er 4 of 5 lepels dikke santen bij. Hak het vlees van 1 kippendij erg fijn, doe het in de santenmassa met 1 lepel asemwater en een beetje witte suiker. Kook de massa al roerend tot ze helemaal droog is. Klop nu 2 eendeëieren erg lang. Doe er een snuifje zout en meritja in. Bak er een dadar van in een grote koekepan, en vul die met de kip-massa.

Kwee tjina of kwee krandjang

3 kattie suiker, 1 kattie ketanmeel, ½ kattie deeg van ketanmeel en water, mandjes met pisangblad bedekt. De suiker tot stroop koken, het ketanmeel er in doen, dit koud laten worden en er het deeg doorheen roeren. Even laten rijzen. Daarna in de mandjes doen en ze goed in de koekoesan laten gaarstomen. Als de koekjes koud zijn geworden worden ze, na goed te zijn afgeveegd, in pisangblaren gewikkeld.

Piccalilly
3 vingerl. koenjit, 3 kemiries, 4 witte uitjes, 8 rode uitjes, ½ vingerl. djahé, 1 lombok, 20 gr. suiker, 50 gr. mosterdpoeder, stukjes bloemkool, taugéh, witte kool, reepjes wortel, hele uitjes, reepjes lobok, jonge komkommers, olie, 1 fl. azijn. Kruiden stampen, bakken, en de azijn toevoegen, groenten, even in zout water opgekookt en uitgelekt, er bij voegen en aan de kook brengen.

Gebakken oedang
Grote garnalen in ham gewikkeld in een beignetbeslag dompelen en in hete olie bakken. Hierbij eet men gembernat of tomatensaus.

Zo gaf ze me uit het blote hoofd ook de recepten hoe je trasi, petis, taotjo, ketjap en tahoe kunt maken. Hulde aan Dora!

Graag wil ik nog iets noemen waar ik intens van genieten kon. Dat was als Margootje, een van onze buurtjes, die in Limburg tegen de Belgische grens aan op school geweest was, uit haar Franse gedichtenboekje las. Ik sprak geen Frans en begreep dus de inhoud niet, maar ik kon uren zitten luisteren naar de klanken alleen. Dat zangerige. Dat boeide me.

Iets anders waar ik ook m'n hart aan kon ophalen, was als onze overbuurvrouw me een blik in haar handwerkkoffer gunde. Ze had zoveel geluk gehad, dat ze bij elke verhuizing steeds deze goedgevulde koffer weer mee kon nemen. Hij zat boordevol met lapjes, kantjes en tientallen kleuren borduurzijde. Schatrijk vond ik haar, met haar koffer vol kleurschakeringen. Zij borduurde mooie tasjes en toverde oude kleding weer nieuw. Verschillenden hebben bij haar een 'bevrijdingsjurk' besteld. Maar dat kwam pas later in de geschiedenis.

Dan moet ik nog iets vermelden, waar wij ons aan konden vastklampen. Dat waren de beeldige tekeningen van sommige zeer begaafde vrouwen in ons kamp. En dan wel speciaal de droomhuisjes van Rina Wolters; die tekende de meest begeerlijke Engelse cottage-huisjes, begroeid met wingerd en klimop, en tuintjes overwoekerd met een rijkdom van vele soorten planten, een tegelpad daartussen; daar ging zo'n stroom van rust en vrede van uit, dat men de koning te rijk was als men zo'n exemplaar van haar bezat. Ik weet nog hoe blij ik was, dat ik eens, toen ik weer ziek was, van iemand anders zo'n schilderijtje van Rina mocht lenen. Daar keek je dan in verlangen naar en je waande je daar ter plekke. Dan wandelde je in je fantasie door die sprookjestuin en onderging je de knusheid en de veiligheid van dat huis.

Ondanks het gebrek aan vrijwel elk noodzakelijk materiaal, werden er toch door verschillende creatieve figuren soms de prachtigste dingen gemaakt. Iets uit niets te creëren was wel zo boeiend, en het werkte soms zelfs aanstekelijk. Ik denk hier aan de gezamenlijk gemaakte kleden voor verjaardagen. Op een stuk effen linnen of katoen, waar men op de een of andere wijze toch aan gekomen was (misschien via de smokkelhandel, misschien was er ook een goede, voor betere tijden bewaarde rok uitgehaald) schreven alle vriendinnen van de jarige hun namen, die werden in steelsteek geborduurd. Het werden kunststukken van onnoemelijke waarde. (30 jaar later zag ik op kamptentoonstellingen, dat precies dezelfde ideeën in verschillende kampen opgang deden; op Java, Celebes, Sumba, dezelfde creativiteit op dezelfde manieren uitwerkt, uit hetzelfde niets dezelfde waardevolle artikelen geschapen.)

Omdat klappers meermalen als corvee-loon verstrekt werden kregen wij met de doppen ook huishoudmateriaal in handen. Op een bepaalde manier opengekapt, kreeg je verschil in vormen, waardoor ze zich leenden tot bijvoorbeeld het maken van bekers, schaaltjes, opscheplepels, roerspanen, en van de snippers of brokken konden de handigsten nog andere gebruiksvoorwerpen maken, zoals haarspelden, of grove kammen.

Uit een stuk brandhout sneed mijn moeder eens voor mijn verjaardag met het enige mes dat we hadden (een groot keukenmes) een miniatuur lepelrekje met een deegrolletje, een stamper, en verschillende lepels. De meest gangbare verjaardagskadootjes waren bladwijzers (hoewel we toen nauwelijks aan boeken konden komen) meestal met teksten beschreven, of vliegendeksels. Aangezien we een overlast van vliegen hadden, die ook ziekten konden overbrengen, was het een goede zaak om je drinkmok te kunnen afsluiten. Dus als je eens over een stukje karton beschikte (men spaarde alles op wat men in de loop der tijden vond, het kon altijd van pas komen; dit werd op zichzelf een ziekte, waar ik nóg niet volkomen immuun voor geworden ben!) maakte je er op je eigen manier voor de eerste de beste jarige in je buurt een dekseltje van.
Mijn moeder heeft eens een kalendertje gekregen, wat een geduldwerk geweest moet zijn voor degene die het maakte. Maar ze was erg geliefd, men had graag iets voor haar over. Ze had ook altijd aandacht voor anderen. Er kwamen dikwijls kinderen uit andere barakken even een praatje maken met oma Hille, zoals ze door hen genoemd werd.
De kleine Mary-Joan, die in Fort de Kock bij ons geboren was, kwam nog wel eens gewoon aanlopen, als haar eigen oma en moeder het te druk hadden, om zo maar eens zonder woorden haar kopje tegen Mams aan te vlijen, of samen een liedje te zingen, en dan weer weg te dwarrelen als een lichte vlinder door het donkere kampbestaan.
Ik herinner me ook, dat ik eens een klein meisje in de regen vond staan huilen, in de buurt van het ziekenhuis. Zusje van Nieuwenhuis. Haar moeder lag in het ziekenhuis. Een vreemde vrouw had zich over de kinderen ontfermd. Maar dit kind had het er moeilijk mee en zwierf telkens in de buurt van het ziekenhuis. Toen we in Padang in de boei hadden gewoond, waren de Van Nieuwenhuisjes en wij buren geweest, en omdat kleine Zus mijn moeder dus ook beter kende, nam ik haar mee naar onze tampat, waar ze zich liet

troosten door oma Hille.
Dat was het wat ook ouderen van ons zo nodig hadden: even soms een blik van begrip en aandacht, dan konden we er weer een poos flink tegen.
Zo belangrijk was het om in die omgeving iemand te hebben die dat voor je kon opbrengen, tijd om naar je te luisteren. Dàt alleen gaf al nieuwe moed.
Ik weet dat iederen weer een andere 'rots in de branding' gehad heeft. Ik kan geen lijst van namen opstellen, maar een paar moeten, dacht ik, wel genoemd worden.
Daar was mevrouw Maurer, lid van ons hoofdbestuur, van wie vooral voor moeders met jonge kinderen een troost uitging, wanneer zij het niet meer zagen zitten.
'Ga maar met mevrouw Maurer praten,' raadden zij elkaar aan als ze er zelf niet in slaagden een lotgenote op te beuren.
En eenzelfde roep ging uit van mevrouw Steup, speciaal voor alleenstaande jonge vrouwen.

Contact

Een stil-schone avond, verlicht door de maan.
Ik zie in haar schijnsel ons beidjes nog gaan.
Jouw arm hield de mijne. Soms bleven we staan.
En zonder veel woorden kon jij mij verstaan.
En jij sprak met woorden die leefden in mij,
en wat ik bepeinsde daaraan dacht ook jij.
Het was zoiets wonders, zo duid'lijk en klaar
hadden jouw ziel en mijn ziel contact met elkaar.
Zo nauw en zo innig, zo zuiver en teer...
In welke bewoording geeft men zoiets weer?
Dit stemt me zo dankbaar en maakt me zo blij.
Wij geven en nemen, ik jou en jij mij...

7

Met Pasen 1945 deden 28 vrouwen en meisjes belijdenis van hun geloof. Het was een indrukwekkende plechtigheid toen de bevestiging plaatsvond. Zelden zal er in normale tijden zo'n intense saamhorigheid in het geloofsleven ervaren zijn als daar bij die kleine kerkgemeenschap in het vrouwenkamp te Bangkinang. Mensen van allerlei kerkelijke richtingen kwamen daar samen en proefden van die ene algemene Christelijke Kerk.
We stonden onder de blote hemel, drommen van mensen. Ook de nonnetjes sloten zich bij de achterste rijen aan om deze bijzondere dienst mee te maken. Ja, zelfs nieuwsgierige Japanners kwamen er bij staan kijken. Voor deze gelegenheid hadden de aannemelingen hun mooiste, misschien wel enige jurk aangetrokken. Zij die er geen meer hadden konden er wel een van een vriendin lenen. Maar alle 28 waren afzonderlijk vervuld van een oprechte begeerte om Christus te dienen en Hem na te volgen, wetende, dat ons geloof op zich al een genadegift was, want het was een krachtbron voor ons.
Sommige toeschouwers stonden verwonderd, omdat er in die zorgelijke tijden nog mensen waren, die op zo'n wijze in hun godsdienst konden opgaan. Vreemd. En wij, die dit alles zo diep beleefen, voelden een sprankelende vreugde in ons. Een dankbaarheid, die we op geen andere manier konden verwerken, dan om uit te stralen waarmee we bezield waren. Er heerste ook na afloop zo'n heerlijke sfeer, die geen van ons, die toen bevestigd werden ooit zou vergeten. Onze tekst was: 'Heden is dezen huize zaligheid geschied...' (Luc. 19 : 9). Gedurende onze catechisatielessen gaf mevrouw Hunger ons steeds de raad: 'Mochten wij door ziekten of verhuizingen, of wat dan ook, niet genoeg tijd hebben tot verdere bijbelbespreking, beperk je dan tot de Bergrede van Jezus in Mattheüs, te beginnen bij hoofdstuk 5. Daarin staat Zijn boodschap persoonlijk tot elk van

ons gericht. "Gij zijt het zout der aarde," en: "Met de maat waarmee gij meet zult gij gemeten worden," en de boodschap van de splinter en de balk in het oog, enzovoorts. Laten we doen als die verstandige man, die zijn huis bouwde op de rots. Dan kan het gaan stormen en waaien, maar een huis op de rots gegrondvest valt niet.' Dat hebben wij ook dikwijls ervaren: temidden van die woelige, moeilijke jaren van stormen en ontij hadden we het allemaal even hard te verduren, maar zij die de Bootsman aan boord hadden, Christus, hadden een belangrijk streepje voor: een zekere rust en een rustige zekerheid, waaruit zij getroost werden en zelf anderen konden bemoedigen.

Geestkracht

Er brandt in ons een vlam van geestkracht.
Bij tijden laait die vlam hóóg op.
Een vuurgloed wakkert ons tot werken
en voert onz' energie ten top.
We zijn vervuld van ernstig willen.
Wij voelen ons tot veel in staat.
Wij zouden bergen kunnen tillen
en al wat zich maar denken laat.
Die gloed verlicht ons hele wezen
en spoort ons steeds tot daden aan.
Hiermee hoeven wij niet te vrezen
dat 't leven ons terneer zal slaan.
Natuurlijk komen er ook tijden
waarop ons geestesvuur verflauwt,
dat gloed en warmt' en licht verglijden.
Maar zorg, dat je het brandend houdt.
Laat het niet blussen en niet doven,
die vonk, die vlam, dat vuur, die gloed.
Laat je vooral door niets beroven
van deze Kracht, die 't Leven voedt.
Laat Christus Zelf jouw licht ontsteken,
opdat jij helder schijnsel geeft.
Dat ook de Liefde niet ontbreke.
Toon aan, dat jouw Geloof ook lééft!

Op een dag stond mevrouw Z. bij onze tampat stil, waar ik

probeerde met een miserabel stompje potlood op een uitgegomd velletje papier iets van mijn gedachten op rijm te zetten, opdat ik ze dan beter onthouden of verwerken kon. Mevrouw Z. was lerares Nederlands en voor de oorlog redactrice van een huisvrouwenblad in Indië. In het kamp hield zij lezingen.
'Ik ben razend nieuwsgierig naar wat je daar allemaal in dat schrift schrijft,' zei ze. 'Mag ik het eens inkijken?'
Wat timide gaf ik het haar. ' 't Zijn alleen wat persoonlijke indrukken,' legde ik uit. 'Gewoon wat versjes.'
' 't Doet er niet toe wàt,' zei ze. 'Het belangrijkste is, dat je nog creatief bent in deze kampellende, dat boeit me. Mag ik het op mijn eigen tampatje lezen? Ik breng het je gegarandeerd vanmiddag nog terug.'
Dat deed ze ook, en ze was wat ontroerd.
'Zeg maar Tine,' zei ze. 'Je bent één van ons.'
Ik was een-en-twintig en zeer verguld met haar compliment.

Tegelijkertijd had ik in die dagen ook een heel nare ervaring. Op een gegeven moment kon ik me met de beste wil van de wereld niet meer het gezicht van mijn vader voor de geest halen. En we hadden geen foto's om als ruggesteuntje te dienen. Helemaal niets. Ik was er wanhopig van.
'Hoe ziet Pappie er toch uit?' vroeg ik mijn zusjes, die me gek aankeken. 'Ik weet het echt niet meer. Beschrijf hem mij. Ik ben zijn gezicht kwijt. Totaal!' Ik voelde me zo verdrietig. Hoe krampachtiger ik me inspande om mij hem te herinneren, hoe meer van streek ik raakte, want het wilde niet lukken. Het was alsof ik hem voorgoed verloren had. Gelukkig sprak ik toevallig iemand, die hetzelfde bij een paar andere kampgenoten had meegemaakt.
'Het komt wel weer terug,' troostte zij. 'Dat was bij die anderen ook zo. Die hadden zich ook dagen en zelfs weken lopen kwellen en zorgen maken, en toen ineens, zonder enige moeite, was het opeens weer terug, de herinnering aan dat dierbare gezicht, dat ze nu weer als iets kostbaars met zich meedragen.'
Ze kreeg gelukkig gelijk.

Geweldige beroering in het kamp.

Er was nieuws doorgelekt, dat Duitsland gecapituleerd had en dat Nederland weer vrij was. Aangezien al vaker beweerd was dat Duitsland gevallen was, zei men wat wrang spottend dat Duitsland zeker aan epilepsie leed.
Maar deze keer hielden de geruchten stand. Het scheen nu menens te zijn. De vreugde hierover moest natuurlijk getemperd en niet in het openbaar getoond worden. Door de blijdschap heen kwam toch af en toe weer een vlaag van bange twijfel: kon dit wel waar zijn? Hoe lang hadden we hiernaar al uitgezien, het voorspeld en er van gezongen: 'Eens komt de dag dat Neerland zal herrijzen.' En nu het zover scheen te zijn konden we het niet geloven.
De houding van de bewakers werd strenger en de voedselaanvoer slechter. Toch hielden de geruchten aan. We hoorden, dat het in de wereld buiten gunstig toe ging. Geen details nog. In ons kamp was er echter nog geen verbetering. De hospitalen waren meer dan vol en ook op de tampats lagen de verzwakte en verziekte mensen. Van het mannenkamp kregen we dezelfde berichten. Het kerkhof kreeg er steeds nieuwe graven bij. Zo sukkelden we nog enkele maanden voort en toen kwam toch nog onverwacht het bericht van de wapenstilstand... onze bevrijding.
'Op de avond van de 21e augustus 1945 werd meegedeeld, dat er de volgende dag geen sago verstrekt mocht worden, doch 3 maal het dagrantsoen rijst. Dit wekte verwondering en argwaan. Men vroeg zich af of er een overwinning van Nippon gevierd werd of dat het einde van de oorlog en de overwinning van de geallieerden in zicht waren, en Nippon het geweten voelde knagen.
De volgende middag bracht commandant Hasjimoto het antwoord op al deze vragen. Hij nodigde 3 dames van het Hoofdbestuur uit mee te gaan naar zijn kantoor, waar de Resident, de Engelse consul en één der andere heren uit het mannenkamp werden aangetroffen. Kapitein Hasjimoto deelde mede, dat de oorlog ten einde was. Het vechten was gestaakt, vredesonderhandelingen waren gaande. De geallieerden hadden Japan gebombardeerd met een zogenaamde atoombom. Deze had een dermate vernietigende uitwerking, dat Japan had verklaard op deze wijze niet meer te willen vechten. Totdat de Engelsen of Amerikanen zouden komen

bleven de Japanners verantwoordelijk voor de geïnterneerden. Tot zo lang moesten deze hun aanwijzingen blijven volgen. De kampen zouden meer voedsel ontvangen, en het bestuur kon bij hem aanvragen wat nodig was. De volgende dag zouden de mannen hun echtgenoten mogen ontmoeten, later zou er meer contact tussen beide kampen kunnen zijn. Toen de bestuursleden in het kamp terugkeerden, bleek de mare hen reeds vooraf te zijn gegaan en was de driekleur reeds gehesen.'
De atoombom, die voor talrijke mensen een verschrikkelijke dood en totaal verderf bracht, betekende gelijktijdig voor duizenden anderen juist de redding en verlossing uit een zekere, langzame hongerdood. Veel langer had het voor ons niet moeten duren.
De reactie op de bevrijdingsgeruchten valt moeilijk te beschrijven. Iedereen vloog iedereen om de hals. Men juichte, men danste, er werd gezongen, gelachen en gehuild...
Er waren er, die dof en moe alle drukte en blijdschap langs zich heen lieten gaan, ongevoelig geworden voor een goede keer in onze situatie. Er waren er ook die zich afzonderden van de joelende, schreeuwende menigte, om in stilte het grote nieuws alleen te verwerken, met een stamelend hart alleen voor God.
En de kinderen begrepen er helemaal niets van. Er waren kleintjes die doodsbang huilden, omdat alle grote mensen zo gek deden. Straks zou de Jap er natuurlijk op los slaan. Die verdroegen het immers niet, als je zo vrolijk was. Dat de volwassenen nou niet een beetje wijzer waren! Je zou zien, daar kwam narigheid van...
De mensen waren compleet door het dolle heen. Tot opeens op het grootste terrein tussen de barakken de Nederlandse vlag gehesen werd. Waar kwam die vlag zo opeens vandaan? Dierbaar dundoek, groot en oud en voorzien van enkele kogelgaatjes. De eigenares, die deze vlag de hele kamptijd door in een holle bamboe meegesmokkeld had, kon er niet meer bij zijn; zij werd juist diezelfde dag begraven.
Haar dochter vertelde, dat deze vlag nog in de slag bij Waterloo gewapperd had. Daar hield hij zijn kogelgaatjes aan over. En nu waaide hij als symbool van de vrijheid troostend boven een ontroerde, eerbiedige mensenmenigte uit, die als

vanzelf het Wilhelmus aanhief.
Boven op een tafel staande sprak mevrouw Holle ontroerd tot de kampbewoners wat het bestuur zojuist van kapitein Hasjimoto gehoord had. Die stond er zelf stomverbaasd bij. Wonderlijk volk, die Hollanders. Bij honger en andere ontberingen bleven hun ogen droog. Was het al niet bijna spreekwoordelijk geworden bij Nippon, dat de vrouwen van de Olanda's niet konden schreien? En hier, nu alles voorbij was en er bekend werd dat ze vrij waren, nu stroomden de tranen...
Geen der aanwezigen zal deze bijeenkomst in de vallende avond op 22 augustus '45 ooit vergeten. Nog diezelfde avond hielden wij onder leiding van mevrouw Hunger en pastoor Reigersberg uit het mannenkamp een dodenherdenking, en tevens dankdienst. Die nacht werd er nauwelijks geslapen van opwinding. Er was weer een toekomst om aan te denken. De verwachtingen waren hoog gespannen.
De volgende dag stonden de poorten wijd open en groep voor groep kwamen de mannen uit het mannenkamp bij ons op bezoek.
O, die eerste ontmoeting na jaren van scheiding! Al die uitgemergelde mannen, vrouwen en kinderen in rafelige kleding, de door jarenlange ontbering getekende smalle gezichten, nu eens omstraald door vreugde, dan weer vermengd met verwondering en vertrokken van ontzetting. Men bekeek elkaar met een blik, die de verspilde jaren wilde inhalen. Men zag bij de ander elke pijnlijke verandering door het kampleven aan houding en gelaatstrekken veroorzaakt.
'Wat moeten jullie geleden hebben,' sprak men tegen elkaar met voorbijzien van eigen ellende.
Ontroerend was het, hoe de kleinste kampkindertjes met hun vader kennismaakten. En hoe hij ook voor de grotere kinderen nog een vreemde was. Veel van de kleintjes begrepen ook niet precies wat het woord 'pappie' nu eigenlijk betekende. Zo lang zij zich herinneren konden was 'pappie' nog altijd dat stukje karton, dat daar op hun tampat hing. Dat plaatje noemden zij pappie en het was dof geworden van de vele zoentjes, die zij het voor het slapen gaan gegeven hadden. En nu kwam daar een 'Jap' naar hen toe en zei, dat hij pappie was, en het vreemdste was nog, dat Mammie hem

ook zo noemde en ze was heel blij en helemaal niet bang voor deze Jap. Tot nog toe waren de enige manspersonen die de kinderen in hun leven gezien hadden slechts onze bewakers geweest.
Er waren ook kinderen, die bij het eerste bezoek van de mannen naar voren toe drongen op zoek naar een Pappie. Zij hadden begrepen dat Pappies net als voedsel en medicijnen gedistribueerd zouden worden en wilden er niet bekaaid afkomen. Ze dachten dat ook hier gold: wie het eerst komt die het eerst maalt.
'Vanaf die dag kwamen er enorme hoeveelheden voedsel binnen, die door beide kampen slechts ternauwernood verwerkt konden worden. Wat katoentjes en garen, handdoekjes en zeep en zakken vol onbruikbare oude schoenen werden het vrouwenkamp toegestuurd.
Medicijnen werden in ruime hoeveelheden aangevoerd, en juist die waaraan steeds zo'n tekort had bestaan. Alles bleek thans in Bangkinang verkrijgbaar. Waar vroeger eieren, karbouwenmelk of kippen zelfs voor de ernstigste zieken niet te krijgen waren, werd het kamp er nu mee overstroomd.'

De dagen volgden als in een droom.
We moesten natuurlijk nog in het kamp blijven wonen, maar nu in vrijheid. De hekken stonden overdag wagenwijd open, de omheining had nu niets hatelijks meer. We konden onze familie en vrienden in het mannenkamp bezoeken en zij ons.
Er ontstond met de inheemsen uit de omtrek een drukke ruilhandel in eetwaren, groenten en fruit, tegen onze schaarse textiel, waar ze happig op waren, want ook de bevolking had armoe geleden.
Er waren moeders in het kamp, die ter plaatse bij het ruilhek hun kinderen uitkleedden om een vette kip of een bos verse groenten te bemachtigen.
De dokters waarschuwden dringend tot voorzichtigheid bij het eten. De overgang van hongerlijden naar overvloed was te groot. Men was niet meer gewend aan grotere porties. Het was uiterst moeilijk om je te beheersen bij de voedselhoeveelheden, nadat je er jaren naar gehunkerd had. Nu werd

het eten een riskante zaak. Onze gezondheid was er mee gemoeid. In het mannenkamp gebeurde het, dat iemand zich letterlijk dood at. Hij werd de anderen ten voorbeeld gesteld.
Het leven stormde weer vol op ons aan. Het was een bijzondere gewaarwording dat je nu voorbìj de schutting, wereldwijd, kon denken.

'Eind augustus kwam het bericht, dat een klein gezelschap van de meest vooraanstaande personen in familieverband naar Padang zou worden gebracht. Deze zouden in het hotel kunnen wonen en alles kunnen voorbereiden voor de komst van de geallieerden.
Op 30 augustus reden 50 personen in keurige auto's naar Padang. Vervolgens werden ± 1300 geïnterneerden van beide kampen tezamen eveneens naar Padang vervoerd in 4 transporten. Hieronder bevonden zich ± 100 zieken. Het transport vond plaats in vrachtauto's, waarop nu 12-14 personen met hun bagage moesten zitten. In vergelijking met de tocht naar Bangkinang, waarbij 35 personen op een dergelijke auto werden vervoerd, was dit wel een verbetering, doch de trucks hadden geen overdekking, zodat de transporten nog verre van ideaal waren. Het zieken-transport geschiedde deels per ambulance, deels per personenauto of truck. Alle zieken zouden in het Militair Hospitaal te Padang worden opgenomen, waar betere medische verzorging wachtte.
De verwachting, dat Padang de geïnterneerden betere levensomstandigheden zou bieden, werd helaas reeds bij aankomst aldaar te niet gedaan. Het bleek, dat niets voor hun ontvangst in gereedheid was gebracht. De eerste weken hebben deze geïnterneerden onder betreurenswaardige omstandigheden moeten leven, opnieuw op het thans geheel verwaarloosde Missieterrein. Ook het hospitaal was niet berekend voor het opnemen van al deze zieken. Eerst veel later vond verbetering plaats.
Twee weken na de wapenstilstand bevonden zich nog maar 1274 van de 2220 personen in het vrouwenkamp. Het fysiek der vrouwen en kinderen was aanmerkelijk verbeterd. De mannen hadden toestemming gekregen de nodigste verbeteringen aan het kamp aan te brengen, zodat bij de komst van

Wing Commander Davis, Commandant der Britse krijgsgevangenen te Pakan Baroe, het kamp reeds een geheel andere aanblik bood.
Veel vriendelijkheid werd van de Engelse, zowel als van de Hollandse commandant te Pakan Baroe ondervonden. Door de Engelse en Hollandse krijgsgevangenen aldaar werd een bedrag van *f* 10.000 bijeen gebracht voor het vrouwenkamp. Dit werd besteed voor de weduwen en wezen van krijgsgevangenen.
Op 7 september vlogen de eerste geallieerde vliegtuigen over het kamp. Grote pakketten levensmiddelen en andere, lang ontbeerde artikelen werden uitgeworpen.'
Zonderlinge gewaarwording, toen daar opeens onder de vliegtuigrompen een luikje openging en de pakketten uitgeworpen werden. Eén seconde van ademloze stilte, waarin, in een flits, de twijfel en het wantrouwen bij sommigen terugkwamen: 'Tóch nog een bombardement, terwijl we juist van de vrede gehoord hebben!' We konden de werkelijkheid nog niet direct reëel zien. Maar toen ontplooiden de aan de pakketten bevestigde parachutes zich en daar ging de duizendstemmige schreeuw door het kamp: 'Voedselpakketten!'
Ze vielen in de nabijheid van de beide kampen. De vreugde bij de verdeling daarvan! Blikjes Irish stew, soep, naaigerei, chocola, kaas, tabletten om water drinkbaar te maken, make-up artikelen, kampeerkookstelletjes met brand-tabletten, en nog vele andere dingen. De kinderen, die voor het eerst kaas en chocola proefden vonden die niet lekker. 'Ik hoef toch geen zeep te eten?' zei een kind verontwaardigd, toen iemand het een stuk kaas gaf.
Een verkeerd geworpen pakket damesondergoed kwam bij het mannenkamp terecht. Wat een plezier die daarom hadden. De prachtige parachutestof in khaki, wit en blauw, werd eerlijk verdeeld. Het eerste bruidje na de bevrijding, Grace van de Pol, ging in een japon van witte parachutestof. Haar bruidegom, Croes, had nog geen beslag kunnen leggen op zijn maat schoenen, dus ging hij op klompen naar het altaar.
'De 8e september kwam een groep geallieerde officieren, die onder leiding stond van de Zuidafrikaner Gideon Jacobs, ons kamp bezoeken. Majoor Jacobs kondigde ons in het

Afrikaans aan, dat binnenkort de Bangkinangkampen ontruimd zouden worden. Hij prees daarbij het gedrag der Nederlandse vrouwen en moedigde hen aan nog wat vol te houden, tot maatregelen voor evacuatie getroffen zouden zijn.'
Er werden ook films van ons gemaakt, waarbij ze niet vermoed zullen hebben, hoe beschaamd wij vrouwen en meisjes ons voelden om miserabele kampbewoonsters in beeld te moeten brengen, terwijl het voor ons de realiteit was, en geen filmscenario.
Ik heb ongeveer een jaar daarna per toeval een artikel van Gideon Jacobs gelezen, 'Sprong bo Sumatra', waarin hij onder meer schreef over vrouwenkamp Bangkinang met het opmerkelijk hoge moraal. Via dat blad, dat Afrikaanse vrienden mij stuurden, heb ik hem geschreven als ex-gevangene uit dat kamp en hem alsnog bedankt voor zijn aandeel in onze bevrijding. Hij schreef mij een sympathieke brief terug, waarin hij nogmaals zijn ver- en bewondering uitsprak voor de houding van deze vrouwen en kinderen, waarvoor hij en zijn manschappen het grootste respect hadden.

'Op 9 september werden 8 personen per parachute in de buurt van Bangkinang gedropt. Deze groep was in dienst van de R.A.P.W.I. (Recovery Allied Prisoners of War and Internees) gekomen om de kampen te Bangkinang over te nemen en de geïnterneerden te evacueren. Met de leiding was belast Major Langley, die in zijn werkzaamheden voor de kampen werd bijgestaan door Captain Dr. Clark en Sergeant Atherton. Alles werd door deze personen in het werk gesteld om de toestand voor de geïnterneerden zo spoedig mogelijk te verbeteren. Bij deze groep parachutisten waren ook enkele Nederlandse mankrachten.'
Ontroerend was de ontmoeting van hen met de geïnterneerden. Toen zij in de buurt van het mannenkamp neerkwamen, snelde één van de Hollandse luitenant-parachutisten, nog met z'n parachute achter zich aan, op de dichtstbijzijnde jongen toe.
'Hollanders?' schreeuwde hij al van verre.
'Ja!' schreeuwde de jongen terug.
Dit was het eerste contact met Holland na ruim 5 jaren van gescheidenheid onder de erbarmelijkste omstandigheden

aan weerskanten. Met tranen in de ogen omhelsde de luitenant de knaap, schudde hem de hand en vroeg naar de toestand in het kamp.
'Hebben jullie het zwaar gehad? Zijn er nog veel zieken?'
En toen hij later ook het vrouwenkamp bezocht, stond de jeep nog niet goed stil, of hij was er al uitgesprongen, greep het eerste het beste kind dat daar stond, tilde het op, betastte het en zei met een zucht van verlichting: 'Goddank, hier zit tenminste nog vlees aan.'

'Major Langley trof de volgende maatregelen:

1. De Japanse wacht werd vervangen door een Brits-Indische, later overgenomen door Nederlandse krijgsgevangenen.
2. De watertoevoer werd verbeterd. Brits-Indiërs werden aan het werk gezet en binnen korte tijd liep er stromend water door alle goten in het kamp. Dit bracht een belangrijke verbetering in de hygiënische toestand.
3. Toen de evacuatie nog enige weken op zich liet wachten, werd een bilike loods (gevlochte bamboevezels) elders afgebroken en in het vrouwenkamp opgetrokken om tampats af te scheiden. Hierdoor werd het mogelijk dat vele gezinnen in het vrouwenkamp herenigd konden wonen na de jarenlange scheiding. Bovendien konden plaatsen waar het erg lekte buiten gebruik worden gesteld.
4. Voor de ontspanning van de geïnterneerden werden dans- en muziekavonden georganiseerd.
5. De Singapore-tijd werd ingevoerd. Nieuwsberichten werden zoveel mogelijk aan het kamp doorgegeven.
6. De gelegenheid tot telegraferen en corresponderen met Java en andere gebieden werd geopend.
7. Geregelde postverbinding werd onderhouden met Pakan Baroe en de krijgsgevangenen werden in de gelegenheid gesteld hun echtgenoten te Bangkinang te bezoeken.
8. Nippon werd verantwoordelijk gesteld voor de toevoer van voldoende levensmiddelen.
9. Op de aanvoer van voldoende "verstrekkingen uit de lucht" werd toegezien.

10. Informaties naar betrekkingen der geïnterneerden werden indien mogelijk ingewonnen.

Op 16 september bracht Lady Louis Mountbatten een bezoek aan beide kampen te Bangkinang. Zij toonde grote belangstelling voor de omstandigheden waaronder ook de vrouwen en kinderen geleefd hadden en was getroffen door de slechte, hoewel reeds verbeterde staat, waarin ons kamp verkeerde. Ook zij stond versteld, dat het moreel bij ons nog op zo'n hoog peil stond, na deze bittere wanhoopsjaren.'
Wij keken onze ogen uit naar de keurige kleding en uniformen, die zij allen droegen, deze mensen, die regelrecht uit de beschaafde wereld tot ons geïnterneerden gekomen waren.
'Door haar komst bewees Lady Mountbatten ons, dat ook ons kamp een plaats innam in het bevrijdingsplan der Engelse regering. Haar betuiging van diep medeleven deed ons allen goed.
Korte tijd later leidde Kapitein Albers de komst van de K.D.P.-party in (Kantor Displaced Persons). Dit gezelschap van zeer jonge mensen, vooral Hollanders, had tot taak de geïnterneerden te registreren en te evacueren. Daar men in de veronderstelling leefde, dat geen der geïnterneerden meer in staat zou zijn haar functie te vervullen, werd bij de registratie afgevraagd, welke wensen men had bij evacuatie uit het kamp te Bangkinang. Een N.I.C.A.-groep (Netherlands Indies Civil Administration) zou de bestuursfuncties bezetten; jonge frisse krachten zouden de werkzaamheden van de ex-geïnterneerden, althans voorlopig, waarnemen. Deze mededelingen wekten een zekere onrust onder de kampbewoners, die weliswaar verzwakt waren, doch zich nog zeer wel in staat voelden, na een tijd van rust en goede voeding, hun vroegere werkzaamheden te hervatten. Eerst de radiorede van Lt. Gouverneur-Generaal van Mook vermocht hen gerust te stellen: "Ieder zou zo spoedig mogelijk de vroegere functie moeten hervatten." '

Het waren heel roerige, overvolle dagen, waarop we veel te veel indrukken inéén kregen te verstouwen. In een veel te snel tempo kwam alles tegelijk op ons af. De eerste berichten over de gebeurtenissen tijdens de bezetting en bevrijding

van Nederland, over de terugkeer van Koningin Wilhelmina en het prinselijk gezin met een nieuw, in Canada geboren prinsesje er bij (wat wij reeds via de kampnieuwsdienst lang geleden als geruchten gehoord hadden) kregen wij nog eerder te horen dan de berichten uit de naaste omgeving.
In schril contrast moesten we blijdschap en verdriet gelijktijdig verwerken, want nu kwamen ook de doodsberichten door. Lijsten vol namen. Ons gezin bleef nog enkele weken in het onzekere waar het Paps betrof, want de lijsten van de Kempei Tai-slachtoffers werden niet officieel verstrekt.
Maar ineens was daar op een dag dat handjevol mannen uit zijn groep, die als wrakken terugkeerden. Hij was er niet bij. Van alles ging er door ons heen, toen we die verwarde blikken vol paniek en doodsangst in hun ogen zagen. De sterkste van hen stond, met een meesterlijk gespeelde kalmte, de vrouwen te woord.
Onze dokters hadden ons gezegd, dat we deze mannen niet te veel moesten uithoren. En we hadden ook het hart niet om hen de wreedheden van hun gruwelijke gevangenschap te laten oprakelen. We bedwongen onze nieuwsgierigheid naar hun wederwaardigheden van de afgelopen jaren, en ons verlangen om meer te weten van onze dierbaren, die dat ook allemaal meegemaakt moesten hebben. We vroegen alleen of ze wisten waar de anderen waren.
'Weet u waar mijn vader is?'
'Ja, hij is gestorven. Ik weet niet in welk massagraf hij ligt.'
Dat moest voldoende zijn. Toch was er nog een enkele, die onbeheerst aandrong: 'Heeft hij veel geleden? Zijn jullie erg gemarteld? Wat gebeurde er allemaal?' En met een bewonderenswaardige rust probeerde hij de harde waarheid te omzeilen met leugentjes om bestwil.
'Nee, hij is niet mishandeld. We zijn niet gemarteld. Waarom denken jullie dat toch? Wij hebben niet méér geleden dan jullie. Er was alleen te weinig voedsel, net als bij jullie, en toen die dysenterie-epidemie kwam zijn de meesten gestorven...' De vrouwen hoefden de afschuwelijke werkelijkheid niet te weten. Maar in hun slaap verloren deze ex-Kampei Tai-gevangenen hun zelf-controle en door hun nachtmerries kwam wel iets aan het licht van die onvoorstelbare tijd, die voor deze mensen nooit echt voorbij zou gaan.

De man, die nog het normaalste en gezondste leek, is toch nog geen half jaar later ineens overleden.
Zo ontmoetten we allemaal peilloos persoonlijk leed temidden van de algemene vrijheidsvreugde. Bovendien werden toen de onregelmatigheden op Java bekend gemaakt, en kwamen er ook geruchten van onrust uit Padang en andere gebieden van de Indische archipel. De dingen liepen totaal anders dan we gehoopt en verlangd hadden. We konden niet naar onze woningen terug. Plannen moesten ijlings en grondig omgegooid worden. Het leven was nog één brok onzekerheid voor ons.

'De eerste instructie van de K.D.P. luidde, dat alle geïnterneerden van Bangkinang naar Medan geëvacueerd moesten worden. Begrijpelijkerwijs maakte men hiertegen bezwaar. Het merendeel van het kamp was afkomstig uit Padang en omstreken en zou zo mogelijk daar hun werk weer willen hervatten. Door de R.A.P.W.I. werd tenslotte de volgende opdracht gegeven:
1. Evacuatie naar Medan, van personen wier belangen in de Oostkust lagen.
2. Idem naar Palembang, van personen wier belangen in Palembang en de omgeving van Riouw lagen.
3. Idem naar Padang, van personen wier belangen in de Westkust lagen.
4. Idem naar Java, over Medan of Palembang.

Op bovenstaande wijze vond tenslotte de evacuatie plaats.
Op 27 september vertrok het eerste Medan-transport naar vliegveld Pakan Baroe om vandaar per vliegtuig naar de plaats van bestemming te worden vervoerd. In Pakan Baroe werd een transit-camp ingericht om bij eventuele vertraging de reizigers onderdak te bieden. Hier vonden zij steeds een gul onthaal en goede verzorging door de ex-krijgsgevangenen.
Op 15 oktober namen de transporten van evacués voor Palembang een aanvang, eveneens per vliegtuig.'
Hier was ons gezin ook bij betrokken. Wij wilden aanvankelijk naar Java gaan, maar hebben, door de omstandigheden verontrust, het aanbod van mijn vaders zusters in Holland aangenomen en zijn 'voorlopig' naar Nederland gegaan.

'De transporten, waarvan indeling en vertrek door het hoofdbestuur geregeld werden, vonden plaats onder leiding van Captain Clark en Sergeant Atherton. Op 28 oktober werden deze transporten beëindigd.
Voor de regeling der Padang-transporten, die per vrachtauto zouden plaatsvinden, werd de Canadese Sergeant Miss Joan Bamford Fletcher naar Bangkinang gezonden. Elk konvooi bestond uit overdekte trucks, voorzien van banken, waarin ± 20 personen plaats moesten vinden, bagagetrucks, spare-trucks, een crash-car en zo nodig personenauto's of ambulances voor ziekenvervoer. Een van de moeilijkheden van deze transporten was het vervoer over de brug ± 15 km. buiten Bangkinang, die in dermate slechte staat verkeerde, dat de passagiers moesten uitstappen en te voet over de brug moesten gaan, waarna de lege trucks volgden. Zieken werden per brancard door militairen overgedragen. De bagagetrucks werden met de veerpont overgezet.
Het vertrek was op 4 uur v.m. gesteld om voor donker de passagiers in Padang te kunnen onderbrengen. Ondanks de vele moeilijkheden onderweg met de oude, afgereden Japanse trucks, slaagde Miss Fletcher er steeds in Padang tijdig te bereiken. Op handige wijze wist zij de Japanse chauffeurs en het gewapend geleide naar haar hand te zetten, waardoor zij tenslotte de volle medewerking van deze personen genoot, wat het transport ten goede kwam. Zij verzekerde zich van de hulp van de Britse Brigade, waardoor de moeilijkheden die zich te Padang bij aankomst van het eerste transport voordeden snel werden overwonnen.
Zij oefende pressie uit op de Japanners om meerdere trucks in elk konvooi te zenden. Hierdoor, en mede door de meesterlijke wijze van opladen der bagage door Sergeant Atherton, werden de geïnterneerden in staat gesteld ditmaal al hun bezittingen mee te nemen.
Weinig last werd ondervonden van de extremisten. Het beperkte zich een enkele maal tot een bevel te stoppen onderweg, waarna men weer kon doorrijden.
Een goede steun ondervond Miss Fletcher van de Hollander Braskamp, door de K.D.P. als begeleider van de transporten aangesteld. Op opgewekte wijze stond hij haar terzijde, bij de verzorging van de evacués en hun bagage.

Het eerste konvooi werd bewaakt door 40 gewapende Japanners, en daar de Indonesische situatie steeds slechter werd, werd het laatste konvooi begeleid door 70 Japanners met machinegeweren. Bij het derde konvooi raakte Miss Fletcher bekneld tussen een truck en haar jeep. Ze bloedde uit een diepe snee in haar hoofd, maar twee uur later was ze weer op haar post met drie hechtingen in de wond. Het was voor de Japanners zeer schokkend zichzelf onder het commando van een vrouw te zien. Toch raakten zij zeer onder de indruk door haar flinke houding. Na haar ongeluk zou nooit een Japanner haar op straat passeren zonder voor haar te salueren.
Bij het laatste konvooi maakte de kolonel van een Japans motor-bataljon een speciale omweg om haar op de weg te ontmoeten. Hij sprak haar aan en zei dat het hem zeer speet te moeten horen, dat ze een ongeluk gehad had. Hij hoopte, dat het nu wat beter ging. Was er soms iets, wat hij voor haar doen kon?
'Ja,' zei Miss Bamford Fletcher. 'Ik wil vier extra trucks.'
Ze kreeg ze.
Toen zes weken later haar werk van evacueren van de geïnterneerden gedaan was, had ze in 30 dagen 20 maal de 900 km. lange trip over 1500 m. hoge bergen gemaakt.
De Japanse kapitein die haar bij de konvooien geëscorteerd had, bedankte haar bij haar vertrek voor de beleefde manier waarop zij hem en zijn mannen behandeld had en hij overhandigde haar zijn 300 jaar oude zwaard als teken van zijn respect.

De leiding van het vrouwenkamp was bij Major Langley in goede handen. Op tactvolle wijze trad hij op bij de eerste tekenen van nationalistische activiteiten in het overigens rustige Bangkinang en te Pakan Baroe.
Een 100-tal Indonesische koelies werkte nu in het vrouwenkamp, waardoor alle zware werkzaamheden de vrouwen uit handen genomen werden. De verhouding tussen Europeanen en Indonesiërs werd door Major Langley zeer zuiver aangevoeld. Zijn optreden tegenover de Japanners was krachtig en beslist. Hij eiste van hen stipte nakoming van hun verplichtingen. Tijdens zijn reizen naar Singapore of

Padang en na zijn benoeming tot commandant van Pakan Baroe werd hij vervangen door Captain Clark, die dezelfde richtlijn volgde en onvermoeid voor de veiligheid en het welzijn van de kampbewoners zorgde.
Bij het vertrek der transporten en het laden van de bagage was hij steeds zelf tegenwoordig.
Veel zorg werd besteed aan de verbetering van de Japanse begraafplaats van overleden geïnterneerden te Aer Manis, welke een armelijke aanblik bood. De graven werden onderhouden en voorzien van houten kruizen. Bij de opheffing der kampen werd de verzorging opgedragen aan de Japanners, totdat de Hollanders deze zelf weer ter hand konden nemen. Een som gelds werd hen ter beschikking gesteld voor het onderhoud.'
Later zijn deze graven, evenals die van de meeste andere eilanden, naar Java overgebracht en op verschillende Erevelden her-begraven. Toen ik in '79 voor het eerst naar dit land terugkeerde en het graf van mijn vader op Leuwigadjah te Cimahi bezocht, zag ik tussen die 5000 zeer goed onderhouden graven vele bekende namen uit Sumatra.

Toen de kampen voorgoed werden opgebroken en de transporten verschillende kanten uitgingen, was er bij velen toch een raar, schrijnend gevoel bij het afscheid van de lotgenoten, met wie men deze kampjaren zo intens samengeleefd had. Het deed pijn om diegenen waarmee men door dik en dun gegaan was nu los te laten en voor altijd vaarwel te zeggen. Ieder moest immers zijns weegs gaan.
Gelukkig wogen de gezinsherenigingen daar weer ruimschoots tegen op, hoewel die lang niet voor iedereen even gemakkelijk waren. De jarenlange gedwongen scheiding van mannen en vrouwen, en de vele daaraan vooraf gegane overhaaste oorlogshuwelijken bleken na de bevrijding niet onaanzienlijke factoren van uiteengroeiing en vervreemding te zijn. Zelfs ook huwelijken van langere duur bleken soms niet opgewassen tegen deze jaren van contactverbreking. Men had elkaar tijdens de langdurige afwezigheid geïdealiseerd. Toen men daarna ontdekte dat de partner niet precies meer zo overeenkwam met de herinnering, kon men dikwijls het geduld en de kracht niet meer opbrengen om deze nieu-

we, diepsnijdende teleurstellingen het hoofd te bieden. Men had geen tijd meer over om het opnieuw met elkaar te proberen, om weer te trachten naar elkaar toe te groeien. Bovendien waren daar in die chaotische tijd na de bevrijding zoveel boeiende en avontuurlijke nieuwe ontmoetingen, dat er wel veel wilskracht en zelfbeheersing aan te pas moesten komen, wilde je niet onder andermans duiven schieten. Ik herinner me, hoe wij als P.J.C.-meisjes lang voor die tijd al over dit onderwerp gediscussieerd hadden. We wezen elkaar op het feit, dat onze bevrijders waarschijnlijk getrouwde mannen zouden zijn, en dat de meesten van de krijgsgevangenen ook hun gezinnen zouden hebben. We bespraken open en eerlijk deze dingen met elkaar in een tijd, dat seks nog taboe was, en trouw een woord dat hoog in het vaandel gedragen werd. Wij waren ongetrouwde jonge meisjes en er waren een paar gehuwde jonge vrouwen geweest, die ons ronduit gezegd hadden jaloers op ons te zijn, vanwege onze ongebondenheid. Naar aanleiding hiervan kwamen deze gesprekken op gang. We wisten, dat het niet fair zou zijn, romances aan te gaan met mannen waarvan we mochten veronderstellen, dat er een vrouw met hunkering op hen wachtte. We wezen elkaar op het actieve deel, dat wij als vrouwen hierin hadden, namelijk door een positieve houding te handhaven, waardoor kameraadschap waardevol kon zijn.

Ons gezin her-begon, zoals zoveel andere, incompleet, omdat Paps niet meer terugkeerde uit de gevangenschap bij de Kempei Tai. Daarom was dat opnieuw beginnen niet aan een bepaalde plaats gebonden, en konden we, in plaats van naar Fort de Kock, ook even goed naar Java gaan, waar we voor ons verblijf op Sumatra ook altijd gewoond hadden, en waar de meesten van onze verwanten nog woonden.
Dit omwerpen van onze plannen hield in dat wij niet mee zouden gaan met de Padang-transporten, maar via het vliegveld Pakan Baroe ons bij de Java-groep aansloten. We zouden daarvoor eerst naar Palembang getransporteerd worden, waar we op onze beurt moesten wachten om per schip naar Java vervoerd te worden.
Wij waren de 2e groep die in het transit-camp te Pakan Baroe werd opgevangen en in speciaal daartoe ingerichte hui-

zen ondergebracht. Voor het eerst sinds jaren sliepen we weer in bedden met klamboes, zonder muskieten en wandluizen. Het was een belevenis om op gewone stoelen te kunnen zitten.
We werden verzorgd en in de watten gelegd door ex-krijgsgevangenen. Zij, die de hel van Pakan Baroe's spoorweg overleefd hadden, voelden zich na die ene maand vrijheid en normale voeding weer geroepen om te dienen en zich uit te sloven, doch deze keer geheel ongedwongen en van ganser harte. Het was voor het eerst sinds jaren, dat deze krijgsgevangenen, die veelal hun gezinnen op Java hadden zitten, weer vrouwen en kleine kinderen zagen.
Zij stelden er een eer in voor hen de maaltijden te verzorgen, het huis schoon te houden, verwennerijtjes er tussendoor te regelen, en als klap op de vuurpijl muziek- en dansavondjes te organiseren. Velen prefereerden echter om rustig naar de muziek te zitten luisteren, of tot gesprekken te komen, plannen uit te werken, of weer te wijzigen, want hier kon ook via de radio naar de nieuwsberichten geluisterd worden, en die waren niet al te optimistisch.
Wij moesten vier dagen wachten, tot er een vliegtuig kwam, en wij aan de beurt waren om met die Dakota naar Palembang te vliegen. Maar dat vonden wij niet zo heel erg, we waren al zo gewend dat we altijd moesten wachten, en we waren in interessant gezelschap. Als ik aan Pakan Baroe denk, denk ik meteen aan die prachtige verzameling uitgewerkte kenarie-pitten, die een zekere krijgsgevangene Edwards tijdens z'n gevangenschap gepresteerd heeft met een simpel zakmes tot stand te brengen. En de gegraveerde eetpannetjes met de sierlijke afbeeldingen en de reeks van namen van makkers en lotgenoten. (Zo hebben de vrouwen die op kleedjes geborduurd.) Ook het beroemd geworden pannetje van Oliemans moet daarbij geweest zijn, want diezelfde Dries Oliemans is even later in het zelfde huis in Palembang ingekwartierd als wij.
Op een dag, toen we daar in Pakan Baroe aan een grote tafel buiten zaten te ontbijten, zagen we op de weg voor het huis een viervoeter aan komen schuifelen, naar de vuilnisbakken toe. Een zieke hond, dachten we medelijdend en keken toe. We hadden al zo lang geen hond gezien. Maar het was geen

hond, doch het naakte skelet van een romusha. (Door de Japanners geronselde Javaanse jongens om koeliewerk te doen bij de spoorweg-aanleg aan de Moeara.) Verbijsterd keken we, hoe de jongen, een kind nog, alleen maar gebeente en ogen en haar, zijn bovenlijf ophief om met zijn knokige handen de rand van de vuilnisbak te grijpen. Kennelijk was het zijn bedoeling om die omver te trekken maar daartoe ontbrak hem de kracht. Ook schoten er op dit ogenblik krijgsgevangenen toe, die hem wegjoegen.
We sprongen verontwaardigd op. 'Waarom nou?' vroegen we. 'Laten we hem toch van ons ontbijt geven. Hij sterft nog.'
Maar we werden beslist tegengehouden. 'Jullie gaan daar niet heen,' werd ons te kennen gegeven. 'Voor jullie eigen bestwil. Je zou je zo een ziekte op de hals halen, jullie hebben nog geen weerstand, wees dus voorzichtig. Zij mogen zich hier niet vertonen, dat weet hij ook wel. Ze krijgen daarginds heus wel te eten van ons.'
Wij konden van de weeromstuit geen hap meer door de keel krijgen na dit voorval. Ook later zagen we nog enkele van deze kruipende geraamtes, mensen, die niet meer de fut hadden om rechtop te lopen. Zij bewogen zich horizontaal als grote hoekige insekten, vel over been, letterlijk. Hier zat géén vlees meer aan. Zij waren reeds dood, hoewel zij nog sterven moesten. Zo zijn er ongeteld velen van hen gestorven. Naamloos en zinloos. Er werd veel te kort bij stilgestaan en veel te vlug vergeten.

Toen het contact met de overige wereld weer hersteld was kwamen ook alle nieuwtjes los over gebeurtenissen uit de afgelopen jaren. En aangezien het geen florissante jaren waren geweest, bleken vele berichten daarmee gelijke tred te houden. Zo vernamen wij, dat evenals mijn moeder ook twee van haar zusters weduwen geworden waren, terwijl een van hen tevens een zoon verloren had. Ook mijn vaders broer moest na thuiskomst uit het mannenkamp te Cimahi te horen krijgen, dat zijn enige zoon reeds in het begin van de Japanse overheersing was omgekomen.
Deze jongen, Leo Hille, was destijds nauwelijks zeventien jaar oud. Hij kon het niet aanzien, dat de Nederlandse vlag

gestreken en de Japanse gehesen werd. Blinde drift verhinderde hem na te denken over de gevolgen van een al te spontane opwelling. Hij stapte naar voren en begon de Japanse vlag omlaag te halen. Zoveel naïeve moed vroeg natuurlijk om tegenmaatregelen. Of hij er meteen van langs kreeg weet ik niet. Nauwkeurige details ken ik van deze geschiedenis niet. De bezetters moesten een voorbeeld stellen tegenover de andere Indo-jongens, die daarbij aanwezig waren, en namen Leo gevangen.
Het verhaal gaat verder, dat zijn moeder, mijn tante, dagen achtereen bij het politiebureau navraag naar hem deed en met een kluitje in het riet weggezonden werd. Toch bleef ze komen en keek vanaf de straat naar het gebouw, in de hoop haar zoon eens terug te zien. Soms zag ze wel eens iemand voor de ramen, maar nooit haar zoon. Eens stond er een broodmagere jongeman met lang haar en holle ogen voor een der vensters, die haar uitgeblust aankeek en een slap teken van eten maakte, alsof hij om voedsel vroeg. Ze maakte een hulpeloos gebaar, kwam wat dichterbij en probeerde een gesprek met hem: 'Ik wou, dat ik je wat eten kon geven, jongen, maar dat laten ze niet toe. Ik heb het gevraagd voor mijn zoon, die zit ook bij jullie opgesloten. Misschien ken je hem: Leo Hille? Wil je hem van zijn moeder groeten?' De uitgehongerde jongen sprak niet, keek alleen maar en herhaalde het gebaar te willen eten. Toen werd hij van het raam achteruit getrokken. Mijn tante ging bedroefd naar huis. Een week later kreeg ze een oproep om naar het ziekenhuis te komen, waar haar zoon op sterven lag. Ze kon haar ogen niet geloven, toen ze daar dezelfde onbekende, uitgemergelde jongen met het lange haar aantrof. Het was Leo, ze had haar eigen zoon niet herkend. Ze hebben hem gewoon uitgehongerd.

In Palembang werden wij in een bepaalde woonwijk ondergebracht, waar wij niet buiten mochten gaan, één straat met huizen door verschillende gezinnen of alleenstaanden bewoond. Anders dan het kamp, maar eigenlijk nog even onvrij. Veiligheid werd weer betrekkelijk.
Naar Java gaan had nu voor ons weinig aantrekkelijks meer, onze familierelaties schreven ons dat ze liever naar Neder-

land gingen, ze wachtten op de eerste de beste boot waar plaats voor hen zou zijn.
En toen het contact met Holland op dreef kwam, vroeg men ons daar ook om toch alsjeblieft te komen. Na een rommelig halfjaar konden we eindelijk als corveeërs aan boord van de Klipfontein komen, die tijdens de oorlogsjaren rondom Amerika als troepentransportschip gevaren had en nu ook voor het eerst weer naar het Vaderland koerste.
Op 30 april 1946 voeren we IJmuiden binnen.
Zij die ginds bleven raakten verwikkeld in nog ergere situaties dan die waar ze juist maar ternauwernood doorheen gerold waren.

Toen mej. Huijsmans van mij hoorde, dat ik plannen had de geschiedenis van de Padang-Bangkinangers op te schrijven, gaf ze mij het verslag, dat sommigen van de bestuursleden dadelijk na de ontruiming van de kampen gezamenlijk hebben opgesteld, terwijl zij in het hotel van Pakan Baroe zaten. Zijzelf was er niet bij, maar gaf mij tevens een persoonlijke brief van mevrouw Holle aan haar, die ik eventueel gebruiken mocht om de duidelijke beschrijving van die dagen. Er staat helaas geen datum op, maar het moet ongeveer eind oktober '45 zijn geweest, toen die geschreven werd.

'Pakan Baroe.

Lieve Ans,
We hebben vaak aan je gedacht. Emmy is enige dagen bezig geweest met een grafiek van de kampsterkte. Telkens was zij weer groepen kwijt, maar tenslotte is het keurig geworden. Toen zij juist klaar was is het bijna door nationalisten meegenomen. We hadden gisteren een incident in het hotel, dat gelukkig goed is afgelopen.
Elly had zich juist verbaasd, dat wij van alle onrust niets meemaakten. We waren rustig aan het werk. Er was al een poosje druk geloop op straat. Ineens geschreeuw om de vlag, en toen alle vlaggen werden binnengehaald gegil om de Britse vlag. Indonesiërs renden de trap op en brachten de Engelse vlag naar buiten onder gejuich van de menigte. Daarna de Chinese vlag. Onze vlag werd naar beneden gegooid en door de menigte gegrepen. Van alle kamers waren

wij intussen op het tumult bijeengekomen. Indonesiërs gooiden beneden alle ruiten in en renden de trap op met alle mogelijke wapens in de hand: krissen, tommy guns, pistolen, lange spiesen en speren, kleine mesjes, één had er een stok met een wieltje er op, eigenlijk krankzinnig. Wij kalmeerden ze wat. Zij vroegen naar de Hollanders. Twee Engelse radiomensen, die hun geweren hadden genomen, werden gesommeerd deze af te geven, hetgeen ze natuurlijk niet deden. De Indonesische politie beweerde alleen dan ons leven te kunnen beschermen als zij de wapens afgaven. Geen succes.
De menigte wachtte buiten. De politie hield ze met de grootste moeite in bedwang. Toen wilden zij de Engelsen meenemen om hen te beschermen. Enkelen wilden ons zelfs als Engelsen beschouwen, maar Ans, je snapt, onze nationaliteit verloochenen, dat deden we niet.
Toen wilden ze de Hollanders er uit hebben, maar wij weigerden. Intussen onderzocht de politie de kamers op wapens. Maar er bleken ook anderen te zijn, die hun slag sloegen en van allerlei meenamen: van Emmy een nieuwe bloes en oude jurk. De grafiek vond ze verkreukeld terug. Eindelijk kwamen, veel te laat, de Jappen; deden ook niets; wilden ons er ook uit hebben. Wij bleven echter. Een tocht door die menigte zou ongelukken hebben gebracht.
Wij adviseerden hen Langley op H.Q. te waarschuwen. Maar Langley bleek al onderweg naar het hotel. Hij had al bij het kamp een oploopje uiteen gejaagd. Drie Indonesiërs hadden de mandoer van de Javaanse koelies aangevallen, en nu had men ervan gemaakt "dat de Indonesiërs waren aangevallen". Dat verhaaltje was op een meeting rondgebazuind, met bovenstaand gevolg.
De wijze waarop Langley politie en de rest met één gebaar het hotel uitjoeg was meesterlijk. Vanmorgen heeft hij de Jappen hun laksheid verweten. Er is nu een Jappenwacht. Binnen 24 uur moet al het gestolene terug zijn en de schade aan het hotel hersteld. Eman en Van Krieken zijn naar Singapore vertrokken. Langley vond het geen bezwaar dat wij bleven. Wij ook niet.
Ans, de brief moet weg. Ik tik bij oil for the lamps of China. Houd je flink, Kleintje. Groeten van Ab.

Liefs van Déetje.

Het ergste was, dat terugkeer naar een normale tijd niet mogelijk was. Voor de een later dan voor een ander kwam onherroepelijk het ogenblik dat ze losgescheurd werden van het volk waarmee ze zich tot in de diepste vezels verbonden hadden gevoeld. Dat wilde zeggen: álle wortels los uit de vertrouwde grond, en maar zien of je ergens anders, waar ook ter wereld, weer enigszins aan kon slaan.
Nu is terugkeer als toerist weer optimaal mogelijk. Nu worden de jaren van vijandschap en verwijdering een strijd tussen broeders genoemd, waaruit beide partijen geschonden maar gelouterd te voorschijn zijn gekomen. Nu kan men elkaar gelukkig in een eerlijke relatie benaderen en respecteren.

Toen in 1956 mevrouw E.C. Hunger-Kapteyn, onze kamppredikante, stierf, waren er zoveel ex-kampgenoten op de begraafplaats, dat die gebeurtenis in menige herinnering als een eerste kampreünie genoteerd staat. Sinds die datum vonden er min of meer regelmatig om de paar jaar Bangkinangreünies plaats, die gemiddeld door ±200 deelnemers bezocht werden. De dames Schaap en Ensing zorgden zo'n 20 jaar lang voor de organisatie van deze steeds zeer geslaagde kampreünies. Daarna nam de ex-kampjeugd het van hen over. De hechte band onderling is frappant. En hoewel er bij iedere reünie telkens weer plaatsen blijken te zijn opengevallen, wordt de belangstelling, zelfs onder de ex-kampbabies, steeds groter. Het besef, dat wij in die jaren 1942-1945 niet zomaar met elkaar op een hoop zijn gegooid, heeft levenslange banden gesmeed. De zorg en belangstelling voor elkaar zijn gebleven, ondanks de nu totaal verschillende omstandigheden.
Het is uit respect en dank aan de ouderen uit ons kamp, en uit piëteit aan allen die nooit de kans hebben gekregen iets na te kunnen vertellen, dat ik geprobeerd heb de gebeurtenissen van toen vast te leggen, opdat dit stukje geschiedenis niet totaal in de vergetelheid zou geraken.
16 maart 1981 Mieke den Ouden-Hille

Naschrift

Als men zo'n 37 jaar na het einde van de Tweede Wereldoorlog (15 augustus 1945) toch maar weer voortgaat kampreünies bij te wonen, krijgt men onherroepelijk commentaar van de omgeving.
'Zouden jullie er niet eindelijk eens definitief maar een punt achter zetten? Wat ongezond om die ellendige tijd steeds bewust weer open te wroeten. Hoe kun je ooit vergeten, als je die periode nooit voorgoed achter je dicht grendelt? We moeten vooruit zien en niet telkens in de geschiedenis terug willen grijpen. Worden jullie het nooit beu steeds weer die oorlog te herkauwen?'
Hoe weinig begrip heeft men van zo'n reünie. Het zijn niet enkel de leken op dat gebied, die bovengenoemde opmerkingen plaatsen. Ook doorknede 'kamp-deskundigen' zijn er, die voor zichzelf hebben uitgemaakt, dat zij geen enkele gedachte meer willen hebben aan die afschuwelijke abnormaliteit die de oorlogsjaren ons opdrongen. Of zij geheel daarin slagen is nog maar de vraag. Herinneringen komen en gaan ongevraagd. Men kan ze heel lang wegdringen; of dat gezond is is nog een twistpunt. Persoonlijk denk ik, dat men onderdehand inderdaad de tijd moet hebben gehad, om die periode te verwerken en dus erover gepraat moet hebben. Met wie kan men een dergelijk gesprek beter hebben, dan met personen die dezelfde ervaringen gehad hebben?

Toch moet men niet denken, dat een kampreünie een treurige happening is. Er wórdt niet gekoketteerd met het oorlogsverleden. Er wórdt niet snikkend opgehaald, wat men met elkaar heeft doorgemaakt, al wordt er gewoonlijk wel een minuut stilte in acht genomen om hen te herdenken die sinds de voorlaatste reünie heengingen.
Zelf heb ik het voorrecht gehad in een mentaal zeer sterk vrouwenkamp geweest te mogen zijn. Mijn herinneringen daaraan zijn dan ook vrij scherp, en wat meer is, ik heb zo-

veel goede gedachten aan de vrouwen en kinderen van dat kamp te Padang, dat later naar Bangkinang verhuisde.
Zo'n Bangkinang-reünie is altijd een groot familiegebeuren. We zijn blij om elkaar op geregelde tijden te ontmoeten en zijn werkelijk geïnteresseerd in elkaars leven nu. Zoals ik reeds zei is het opmerkelijk, dat de laatste jaren deze reünies steeds meer bijgewoond worden door wat toen de kampkleuters waren. Zij komen echter uit een andere drang dan wij ouderen. Zij zoeken naar antwoord op vragen waar zij mee zitten en die ineens van levensbelang zijn geworden:

- Wie heeft mijn moeder gekend? Wat was zij voor iemand? Waarom kon mijn grootmoeder niet voor ons zorgen toen onze moeder stierf?
- Wie kan mij zeggen met wie ik gespeeld kan hebben of met wie ik omging in mijn prilste kamptijd?
- Wie kan de hiaten uit mijn herinnering opvullen: waar was ik in de tijd tussen het opdoeken van ons kamp en het teruggaan naar Java?

Spannende speurtocht naar het verleden, nodig voor de gezondheid van het heden. De opdracht van psychiaters: schrijf alles op wat je je uit je jeugd herinnert, zo nauwkeurig mogelijk.
Maar hoe kan dat als je herinneringen ontoereikend zijn? Dus bezoek je eens zo'n samenkomst van je ex-kampgenoten in de hoop bij de ouderen een antwoord te vinden. Soms lukt dat:

- Je oma was zelf hulpbehoevend, die kon niet voor jullie zorgen; ik heb voor háár gezorgd.

Wat een geruststelling, het was geen onwil, maar onmacht van oma.

- Jouw speelmakkertjes waren de kleintjes uit het weeshuis. Maar ook de grotere weesmeisjes trokken graag met je op. Je was zo'n ernstig kind, je kon moeilijk lachen.
- Na de ontruiming van ons kamp hebben we zo'n drie, vier dagen in een transfer-kamp in Pakan Baroe doorgebracht, wachtend op de vliegtuigen die ons verder moesten transporteren.

  In ons geval en het jouwe naar Palembang, waar we naast elkaar hebben gewoond. Je oom heeft jou en je broertje opgehaald toen bleek dat ook je vader was overleden.

Iemand anders kan vertellen: jij zat in het kamp bij mij op Zondagsschool. Kijk maar, je naam staat nog in het eigengemaakte notitieboekje, samen met je oudere zusje.

Gelukkig zijn er nog steeds van die reünies, die antwoord kunnen brengen op enkele vragen. We proberen met elkaar de rimpels glad te strijken, die anders blijvende schade zouden kunnen berokkenen. Het is namelijk niet altijd waar, dat vergeten maar het beste is.
Men moet wel eerst weten wát men vergeten moet.

september 1982